KB141284

오쿠라 데루코 단편선

심야의 손님

위북은 '함께'의 '가치'를 소중하게 생각합니다.
독자 여러분들의 소중한 의견이나 투고 원고는
we-book@daum.net으로 보내주시기 바랍니다.

오쿠라 데루코 단편선
심야의 손님
ⓒ 위북, 2021

초판 발행일 2021년 10월 9일

지은이 · 오쿠라 데루코
옮긴이 · 이현욱, 장인주, 하진수

〈책을 만든 사람들〉
편집주간 · 추지영
마케팅 · 페이지원
디자인 · 디자인오투
홍보 · 김범식
물류 · 북앤더
지원 · 정현주 최영완 김태윤 김익수
제작총괄 · 안종태
제작처 · 월드페이퍼 한길프린테크 경문제책사

펴낸이 · 강용구
펴낸곳 · 위북(WeBook)
출판등록 · 2019. 10. 2 제2019-000271호
주소 · 서울시 마포구 양화로 127(서교동)
첨단빌딩 4층 432호
전화 · 02-6010-2580
팩스 · 02-6937-0953
이메일 · we-book@naver.com

잘못되거나 파본된 책은 구입하신 서점에서 교환해 드립니다.

ISBN 979-11-91618-05-1 (03830)
정가 15,000원

이 책은 위북(WeBook)이 저작권자와의 계약에 따라 발행한 것이므로
저작권법에 따라 무단 전재와 복제를 금합니다. 이 책 내용의 전부 또는 일부를
이용하려면 반드시 저작권자와 위북(WeBook)의 서면 동의를 얻어야 합니다.

심야의 손님

오쿠라 데루코 단편선

이현욱 장인주 하진수 옮김

위북

차례

영혼의 천식

1

××신문사 편집국장 A는 구(舊) 후작 후지와라 코세이로부터 초청장을 받았다. 그는 차장에게 흰색 사각봉투를 건네며 말했다.

"이봐, 이것 좀 읽어봐. 특종 계급도 꽤 생활이 어려운가 봐. 집안의 가보를 경매에 내놓는다는군."

차장은 건네받은 내용물을 꺼내 작은 목소리로 읽었다.

××신문사 편집국장 귀하

국화가 만개하는 계절, 좋은 일만 가득하길 바라며 삼가 아룁니다.

다가오는 10월 15일, 자택에서 가히 집안의 보물이라 칭할 만한 선조의 물건들을 경매에 부치고자 합니다. 그때 희망하는 물건에 입찰가를 제시해주십시오. 다만 초대장을 받으신 분만 입장 가능하다는 점을 알려드리며 귀하의 방문을 고대하고 있겠습니다. 또한 여러 해 동안 의문이 제기되어 왔던 후지와라 가문의 비밀도 공개할 예정입니다.

1947년 10월 1일

구 후작 후지와라 코세이 배상

읽기를 마친 차장이 고개를 갸웃하며 말했다.

"초대장 끝에 '후지와라 가문의 비밀도 공개할 예정'이라니……, 친족끼리 소규모 범위라면 몰라도 신문사 사람들까지 초빙해서 발표하려는 비밀이 뭘까요? 이 사람도 참 가문 이름을 잘 파네요. 사람들을 혹하게 하는 재주가 있어요. 비밀 공개라는 문구가 매력적이네요. 이러면 나도 좀 가보고 싶은데요?"

차장이 웃으면서 초대장을 옆자리에 앉은 부장에게 건넸다.

A국장이 피스 담배에 불을 붙이면서 말했다.

“자네들 모르나? 기미타카 실종 사건 말이야. 뭐, 꽤 오래전 이야기이긴 한데, 선대 후지와라 후작에게 기미타카라는 외아들이 있었어. 후지와라가의 몇 대째 후계자였는데 11세 때 행방불명된 채 지금껏 찾지 못했어. 그 사건으로 세상이 떠들썩했지. 당시 신출내기 기자였던 내게 후작가를 내사하라는 지시가 내려져서 몰래 조사해봤는데 겉으로 드러난 것 외에는 아무것도 알 수 없었지. 후계자가 사라졌기 때문에 친족회의가 열렸고 그 결과, 난조 남작의 셋째 아들 코세이를 양자로 들이고 마스히라 백작의 딸과 결혼시켰어. 부부 양자랄까. 이듬해 선대 후작이 죽고 3년 후 선대 후작부인이 심장마비로 사망했어. 불행이 계속되던 후작가도 그 이후로는 지극히 조용했고 공습도 면했다고 해.”

때마침 점심시간이라 사람들이 모였는데, 그중 고참 기자 한 명이 아는 체를 했다.

“그 기미타카라는 소년이 아주 영특한 데다 보기 드문 미소년이었다면서요. 하긴 엄마 닮았으면 미모가 뛰어난 것도 당연하겠어요. 기미타카는 본 적이 없어서 모르겠는데, 후작부인은 두어 번 본 적이 있어요. 한 번은 승마 클럽에서 장식 없이 말쑥한 승마복을 입고 밤색 말을 타고 있는 당당한 모습이었고, 또 한 번은 어떤 행사 자리였는데 속살이 훤히 들여다보이는 얇은 드레스 위에 모피 외투를 걸치고 자동차에 타던 모습이었지요. 참으로 섬뜩할 정도의 미모였어요. 나도 모르게 동작을 멈춘 채 한동안 넋을 잃고 바라봤다니까요. '세상에 이렇게 아름다운 여자도 다 있구나' 하고 감탄하며 말이에요. 누가 미인이라는 소문이 나면 나는 항상 후작부인이 떠오르더라고요."

"부인은 어느 집안 출신이었죠?"

"그게 말이지, 소위 현대판 신데렐라라고 할까? 니혼바시 근처에 있는 오래된 약국집 딸로 여자 의학교를 졸업하고 취직 자리를 알아보러 어느 의학박사를 찾아뵀는데, 그때 우연히 그 자리에 있던 선대 후작이 첫눈에 반했다더군. 친척들의 반대를 무릅쓰고 아내로 맞이했지. 약국집 부모는 딸이 출세해서 귀족과 인연을 맺은 건 집안의 명예라며 기세등등해졌다고 해. 딸은 영화에서 본 외국 귀부인의 화려한 생활만 떠올렸지, 낡은 습관에 얽매여 있는 일본 귀족 생활은 상상도 못 했나 봐. 결혼하고 가정생활은 그다지 행복하지 않았던 것 같아. 그녀가 죽었을 때 조문 간 사람에게 들었는데, 시어머니 외에 어머니가 여럿 있었다더라고. 첩의 소생으로 시누이가 여러 명이었는데 중간에 끼어서 '평민의 딸'이라며 계속 멸시받아서 늘 바늘방석에 앉아 있는 것처럼 불편해했고 주눅 들어 있었다고 해. 귀족 사회에서 가문이 없다는 게 얼마나 창피하고 천박한 일인지를 전혀 몰랐던 거지."

"불행한 사람이었군요."

"미인박명이라더니. 유일한 희망이었던 아들은 행방불명되고 그게 마음의 병이 되어 살아갈 힘을 잃었는지 병상에 누워 지낸 날이 많았다더군. 그 무렵 심장도 안 좋아졌던 것 같아. 갑자기 심장마비가 와서 허망하게 죽은 날이 아들의 3주기가 있던 밤이었다는 걸 보면 뭔가 운명적이라고 할까."

"어쨌든 국장님, 꼭 참석하셔서 뒷얘기 들려주십시오."

비밀을 공개한다는 부분에서 다들 흥미로워하는 것 같았다.

2

후지와라가의 경매가 열린 날은 아침부터 가랑비가 내려 으슬으슬 추운 날씨였다.

응접실을 비롯해 모든 방의 장지가 치워져 있었고 현관 마루에는 예복을 입은 보좌관과 집사가 나란히 서서 손님을 맞이하고 있었다. 궂은 날씨에도 도보로 오는 사람, 자동차를 몰고 온 사람, 초대장을 접수처에 내고 안쪽의 큰 방으로 안내되는 사람으로 현관 입구가 붐비었다. 그중에는 도호쿠와 간사이 등 먼 지방에서 일부러 상경한 사람도 적지 않았다. 복도까지 손님으로 붐볐고 경매가 시작될 즈음 안쪽 큰 방은 발 디딜 틈조차 없었다. 늦게 도착한 편집국장 A는 사람들 사이를 헤집고 들어가 간신히 착석할 수 있었다. 안쪽 큰 방은 후지와라가에서 불교 의식을 지내는 곳으로 벽 둘레에 역대 당주와 그 부인의 유화 초상화가 걸려 있었다. 코세이 후작의 생각이었는지, 초상화 앞에 그 시대 당주가 사용하던 물품이 진열되어 있었다.

선대 후작과 부인의 초상화 앞에는 큰 와불상, 나전 칠기 경상(經床) 위에는 청자향로를 놓아 침향을 피워 올렸으며, 모락모락 피어난 연기로 주변 공기가 정갈해지는 듯했다. 금은 가루로 무늬를 넣은 칠기 위패함, 나비 문양 책장, 금은 가루로 가문의 문양이 새겨진 독서대 등이 놓여 있었다. 무엇 하나 탐나는 것뿐이라 후작이 특별히 지명한 사람만 초대한 것은 장사치들의 출입을 막기 위한 조치였나 하고 모두 고개를 끄덕였다.

"어머, 불상의 크기가 정말 어마어마하네요."

깜짝 놀라는 목소리가 들렸다. 두세 명의 귀부인이 불상 앞에서 감탄하고 있었다.

"훌륭한 불상이지요? 이건 선대 후작이 샴(타이 왕국의 옛 명칭)에 파견되었을 때 유명한 왓 사켓(Wat Saket)이라는 사원의 주지스님에게서 받은 것입니다. 너무 커서

평상시에는 히시이신탁(菱井信託)의 지하 2층 보물고에 맡겨두었던 것을 이번에 특별히 전시하였습니다."

후작부인이 귀부인들에게 설명했다.

"불상 속에 들어가 낮잠을 잘 수 있을 정도로 큰데요?"

"하지만 속이 텅 비어 있진 않겠죠. 금인지 은인지 동인지는 모르겠지만 들어 있겠지요. 언젠가 드러나겠지만요."

"금이나 은은 아닐걸요. 그랬으면 나라에서 기증해달라고 요청해서 지금껏 남아 있지 않을 테니까요. 호호호."

귀부인들이 다음 방으로 가버리자 곧바로 네댓 명의 신사들이 우르르 들어와 와불상을 둘러쌌다. 누구나 한 번쯤 와불상에 시선을 사로잡혀 걸음을 멈추었다.

어느 정도 살펴보았다고 생각될 즈음 집사가 큰 소리로 "여러분, 입찰해주시기 바랍니다" 하고 알렸다. 입찰하라고 해도 다들 경매 초보들이라 '어느 정도 가격을 매겨야 할지 모르겠다', '금액을 못 적겠다' 하며 우왕좌왕하는 사람이 많았다. 그래도 이래저래 한바탕 난리를 치르며 입찰이 끝났다.

"변변치 않지만 다과를 준비했으니, 모두 이쪽으로 오십시오."

손님들을 식당으로 안내했다.

모든 손님 앞에 홍차와 과자가 놓였을 때 후지와라 코세이가 처음으로 모습을 드러냈다. 그는 위엄을 갖춘 채 모두에게 간단히 인사하고 입을 열었다.

"초대장에도 말씀드린 대로 오늘 이 집의 비밀을 여러분에게 알려드리려고 합니다."

그는 잠시 숨을 고르고 이어서 말했다.

"여러분도 이미 알고 계시겠지만, 이야기 순서대로 말씀드리겠습니다. 우리 부부는 다른 집안에서 양자로 들어왔습니다. 후지와라가는 기미타카가 계승해야 했으나 불행히도 11세에 행방불명이 되어 그의 생사가 불분명한 채 수십 년이 지나버렸습니다. 당시 세간에서는 산신령이 데려갔다느니, 도깨비를 따라갔다느니, 인신매매를 당해 노예로 팔려갔다든지 이런저런 이야기가 오갔습니다. 끝내 지금까지도 이유를 알지 못하고 있지요. 그런데 드디어 밝혀졌습니다. 그 보고서가 바로 첫 번째 비밀입니다."

코세이는 말을 멈추고 그곳에 모인 사람들의 얼굴을 한차례 둘러보았다. 손님들은 침을 꿀꺽 삼키며 듣고 있다가 기미타카의 소식을 알게 되었다는 말에 술렁이기 시작했다.

코세이가 계속 말을 이었다.

"그리고 두 번째 비밀은 선대부인, 즉 기미타카 군 어머니의 죽음에 대해서입니다. 부인은 심장마비로 사망한 게 아닙니다. 사실 기미타카 군의 3주기 제를 지낸 후 자살한 것입니다."

여기저기에서 낮은 탄식이 들렸다.

"저는 어떻게든 자살의 원인을 알고 싶어 유서를 찾았습니다. 그러나 찾지 못했지요. 죽기 전에 꼼꼼히 정리한 듯 보였고 글을 적은 종이는 한 조각도 없었습니다. 그런데 이번 경매를 준비하면서 두 가지 수수께끼가 우연히 풀렸습니다. 후지와라가 소유의 물건이 타인의 손에 넘어가게 되면 두 번 다시 부인의 유서를 찾을 수 없을 것 같았던 저는, 다시 한 번 찾아보기로 했지요. 만에 하나 유서가 다른 사람의 손에 넘어가면 안 되니까요. 오랜 시간을 들여 엄밀히 조사했습니다. 그리고 부인이 애용하던 독서대 서랍 안쪽에서 비밀 서랍, 즉 은닉 장소를 발견했습니다. 여는 데 상당히 애먹었지만, 마침내 바라던 바를 이루었지요. 그곳에 유서가 들어 있었던 겁니다. 부인이 죽은 이유를 비로소 알 수 있게 되었지요. 이것이 바로 그 유서입니다."

코세이가 자줏빛 비단 보자기에 싼 두툼한 봉투를 높이 들어 보였다.

"이제 유서를 읽어드리겠습니다. 주의 깊게 들어주세요."

3

후지와라 코세이 님 귀하

스물네 살에 후지와라 집안에 시집와 올해로 14년이 되었습니다. 부푼 꿈을 안고 아내가 된 저는 세상 물정에 어두웠습니다. 마냥 즐겁기만 했던 아가씨는 현실 세계를 맞닥뜨리게 되었죠. 결혼하고 며칠도 되지 않아 저는 벌써 후회하고 있었습니다. 결혼을 반대했던 후지와라 가문 사람들은 제가 실수라도 하면 그것을 빌미로 남편과의 사이를 벌려놓아서 어떻게든 헤어지게 하려고 했습니다. 있는 일 없는 일 시시콜콜 남편에게 고해바치는 바람에 두 사람 사이에 틈이 생기고 말았고 어느새 커다란 골이 되어 재미없는 나날을 보내게 되었습니다. 저의 입지는 점차 바닥부터 허물어졌습니다. 그

이듬해에 기미타카를 낳았습니다.

후지와라 가문 사람들의 눈에는 가문이 없다는 게 하나의 죄악처럼 보였나 봅니다. 평민에게 교육받으면 어떤 사람이 될지 모른다며 갓난아기였던 기미타카를 제게서 떨어뜨려놓았습니다. 기미타카는 조부모의 맹목적인 사랑 속에서 여섯 살까지 오냐오냐 자랐습니다. 제 품에 돌아왔을 때는 이미 손쓸 수 없을 정도로 버릇없는 아이가 되어 있었지요. 하지만 기분이 좋을 때는 정말 싹싹하고 똘똘한 아이였어요.

초등학교에 입학해서는 학급 반장을 도맡았고 담임 선생님도 명랑하고 똑똑하다며 칭찬해주었습니다. 영리하고 잘생겼다며 친척들도 예뻐했지요. 덕분에 저를 대하는 태도도 달라졌습니다. 다른 사람들에게 듣지 않아도, 내 아이를 가장 잘 아는 건 부모입니다. 몰래 후지와라 집안의 가족들을 살펴보았는데, 기미타카를 능가할 만한 남자아이는 한 명도 없었습니다. 저는 숨통이 트였습니다. 될성부른 나무는 떡잎부터 알아본다고 하는데, 기미타카는 반짝반짝 빛났습니다. 우두머리가 될

품격을 타고났지요. 그 아이 덕분에 평민의 딸이었던 제 가치가 올라갔고 위태롭기만 했던 입지가 확고해졌습니다.

어느 날, 욕조에 몸을 담갔다가 씻고 나와 옷방 쪽으로 가는데, 거기서 나와 툇마루 쪽으로 뛰어가는 작은 그림자를 보았습니다. 기미타카였어요. 어째서 제 옷방에 들어갔는지 의아해하며 살펴보니, 나란히 놓인 장롱 서랍이 열려 있었고 그 안에 있던 손목시계 케이스가 사라졌더군요. 다이아몬드가 박힌 손목시계는 제가 가장 아끼던 것이었습니다. 무슨 일인가 싶어 가슴이 덜컹했습니다. 작은 액세서리도 만졌는지 거뭇거뭇 손자국이 나 있었는데, 진흙 묻은 손으로 서랍을 연 것 같았어요. 금속 끈 장식이 뒤섞여 있었지요.

'이 작은 손자국은 기미타카가 틀림없어. 장난이라고 넘어가기에는 너무 공을 들였는걸.'

저는 가만 내버려둘 수 없었습니다. 그렇지만 고용인들의 눈도 있어서 다른 사람 모르게 구석 창고 앞에 데려가 자초지종을 물어봤습니다. 어느 사이엔가 고모들,

그러니까 남편의 배다른 시누이들과 친해진 기미타카가 그들의 꾐에 넘어가 제 물건을 어지간히 빼돌렸다는 걸 알게 됐습니다.

다른 사람의 물건을 무단으로 가져가는 것은 도둑질이라고 잘 타일렀습니다. 아이는 풀 죽은 기색으로 고개를 숙인 채 눈물을 흘렸습니다. '이렇게 어린아이를 부추겨서 귀중품을 뜯어내다니 이건 죄악이야'라며 분개했고 그들이 너무 미웠습니다. 기미타카가 안쓰러울 뿐이었어요. 나쁜 건 그들이지 아이가 무슨 죄가 있겠습니까. 또다시 이런 일이 있으면 안 되니, 조용히 시누이들 중 한 명을 찾아가 죄 없는 아이를 죄 짓게 하지 말고 원하는 게 있으면 뭐든 줄 테니까 제게 직접 말하라고 부탁했습니다. 그러자 그녀는 펄쩍 뛰면서 '무슨 소리입니까? 도련님이 하도 사달라고 부탁하니까 거절도 못 하고 필요도 없는 걸 사주었는데, 시비 거는 것도 아니고……. 대갓집이면 다냐' 하고 오히려 화를 냈습니다. 속인 걸 들켜서 당황한 나머지 허세를 부리는 것이겠지요. 야비한 여자라며 멸시하고 자리를 떴습니다.

이것이 기미타카가 여덟 살 때의 일입니다.

그해 가을, 외무성에서 샴으로 파견 가는 남편을 따라 저도 함께 갔습니다. 약 반년간 떨어져 있다가 만난 기미타카는 많이 달라져서 묘하게 쌀쌀맞았습니다. 마침 정원에 있는 정자에서 친구들과 놀고 있기에 과자를 들고 갔습니다. 친구와 신나게 이야기하느라 제가 가까이 오는지도 모르더군요. 들으려고 하지 않았는데 무심결에 이야기를 듣게 되었습니다.

"자기 아들은 버려두고 말이야. 이제 와 신혼여행 가는 것도 아니고. 그 터무니없이 큰 와불상 속에 토산품을 잔뜩 숨겼대. 신탁에 가져다 두기 전에 훔치자. 코를 납작하게 해주자고. 허를 찌르는 거지."

기미타카가 밉살스럽게 말했습니다.

"잠긴 건 어떻게 열지?"

친구가 물었습니다.

"문제없어. 철사 하나만 있으면 뭐든 딸 수 있어."

기미타카가 으스대며 말했습니다. 저는 어이가 없어서 더는 이야기를 듣고 싶지 않았어요. 발길을 돌리려고 하는 찰나 두 사람이 눈치채고 이쪽을 돌아보았습니다.

"쳇. 소문의 주인공이 등장했군", "듣기 좋은 말로 추켜세워 줘야겠네" 하고 둘이 속삭이는 목소리가 들렸습니다. 친구는 제 쪽을 보며 천진난만하게 "와, 저는 ××황후님이 잠행 나오신 줄 알았어요"라고 말했습니다. ××황후님은 아름답기로 유명한데 말이지요. 기미타카는 제가 그 말에 어떤 표정을 짓는지 몰래 훔쳐보더군요.

그 무렵, 여종 숙소에서 분실 사건이 종종 있었는데, 의류를 비롯해 매달 모아둔 급여를 전부 잃어버리는 등 잡음이 심해 집사의 충고로 잔심부름꾼 한 명을 해고했습니다. 그런데 혹시 가미타카의 소행일지도 모르겠다는 생각이 들어 괴로웠습니다.

이런 일도 있었습니다. 학교에서 결석이 잦다며 주의를 바란다는 전화가 왔습니다. 매일 학교 간다고 나갔는데 영문을 알 수 없었죠. 어떻게 된 일인지 알아보니 도중에 친구의 꾐에 넘어가 다른 길로 새는 것 같더군요. 나쁜 친구를 사귄 탓이라 여겨 그 친구의 어머니를 찾아가 주의해달라고 부탁했어요. 그런데 그 어머니는 기미타카가 자기 아이를 꾀어 곤란하다고 하더군요. 그런 말을 듣고 있는 제가 비참했습니다. 하지만 그 친구가 자기 부모에게 어떻게 말했을지는 모르는 일이잖아요? 기미타카는 제게 거짓말을 하는 아이는 아니니까요.

누가 뭐래도 저는 아들 편입니다. 다른 사람이 무슨 말을 하든 어머니인 저는 아들인 기미타카를 믿습니다. 결코 나쁜 짓을 할 아이가 아니에요. 의지가 약해서 다른 사람의 부탁을 뿌리칠 수 없는 것뿐이에요. 그런 아이가 가여워서 차마 꾸짖을 수 없었어요.

그러던 어느 날, 저는 기미타카의 방에서 생각지도 못한 물건들을 발견했습니다. 다이아몬드 반지, 여자 손목시계, 상당한 거금이 들어 있는 비단 돈주머니를 보고 가슴이 철렁했습니다. 악어가죽 핸드백, 에나멜 핸드백도 있었습니다. 그 속에는 콤팩트, 크림통 등 여성 물품이 가득했지요. 온몸이 부들부들 떨렸고 놀란 마음이 가시질 않았어요. 이렇게 많은 물건을 어디서 가져온 것일까요. 물론 그런 물건을 살 정도의 용돈을 주지도 않았습니다. 그렇다면 그 말은……. 아아, 어쩌면 좋을까요. 머릿속이 너무 혼란스러워서 기절할 것만 같았습니다.

기미타카의 장래에 거는 기대가 컸던 만큼 실망도 컸습니다. 돌이켜보니 시누이의 말도 사실이었고, 여종 도난 사건도, 친구를 꾀어 학교를 빼먹은 것도 모두 그 아이가 한 짓이 분명했습니다. 슬픔에 빠진 저는 바닥에 엎드려 신음했습니다. 자꾸만 피가 머리로 치솟아 사리 판단을 제대로 할 수 없었습니다. 만약 기미타카가 눈앞에 있었다면 저는 그 아이에게 달려들어 목을 졸랐을 겁니다.

저는 두 손으로 얼굴을 가리고 엎드려 울었습니다. 오랜 시간 울음을 멈추지 못했습니다. 경악할 만한 충격에 일어날 기력도 없었습니다.

제가 그 정도로 절망에 빠진 데에는 이유가 있습니다. 사실 제게는 남동생이 한 명 있었습니다. 아마 세간에는 알려지지 않았을 테지요. 태어나자마자 다른 가문에 들어갔으니까요. 남동생은 기미타카처럼 싹싹하고 똘똘한 소년이었어요. 그런데 나이가 들면서 불량배와

어울리더니 '하야노마사(정통 송골매)'라는 별명까지 얻었고, 손버릇이 나쁜 데다 도무지 막무가내였는데, 싸우다 크게 다쳐 죽었습니다. 가족들은 남동생의 죽음에 슬퍼하기보다 안심했고 아버지는 처음이자 마지막 효도라며 기뻐하셨습니다. 불량함은 제 혈통에 있는지도 모릅니다. 아버지의 큰형도 대단히 불량한 사람이었다고 합니다.

그런 생각이 제 머릿속에 가득해서 그만 이성을 잃고 말았습니다. 아직 나이가 어리니 잘 교육하면 좋은 길로 이끌 수 있지 않겠느냐고 할지도 모르겠지만, 저를 위로하는 말 혹은 동정하는 말로 들렸습니다. 기미타카가 참된 인간이 되는 건 어머니의 욕심으로도 안 될 일이라고 생각했습니다. 그 아이는 너무도 교묘하고 선천적인 불량배이니까요.

평소 멸시하던 평민 계집이 낳은 아들이 도벽이 있는 불량아라면, 그것도 제 혈통 때문이라면 저는 구제받을 길이 없습니다. 기미타카 덕분에 올라갔던 입지는 금세 허물어지고 저는 나락으로 내동댕이쳐질 테지요. 그

뿐만 아니라 귀하디 귀한 후지와라 가문의 혈통에 나쁜 피를 남겼다며 많은 사람의 질타를 받을 것입니다. 어쨌든 이런 소년이 성장한들 제대로 된 사람 구실을 할 리 없습니다. 가문을 더럽히고 부모의 이름에 먹칠하고 사회에 해를 끼치고 타인에게 민폐를 끼칠 테지요. 아이 자신의 장래 또한 암담할 것입니다.

저는 모든 희망을 잃었습니다. 희망을 잃었지만 해야만 할 일이……. 아, 알지만 감히 말할 수 없습니다. 저는 기미타카를 정말 사랑합니다. 그래서 '사랑하니까 내 손으로 끝내야지' 하고 그를 죽이고 저도 죽기로 결심했습니다.

제가 미친 걸까요?

잔재주가 있어서 무슨 일이든 잘하는 기미타카는 작은 새를 길들이는 것도 잘했습니다. 뒤늦게 홍역을 앓고 막 나았을 즈음이었어요. 옥상정원에 문조를 풀어놓고 놀고 싶다고 했지만 들어주지 않았습니다.

그날은 우연히 모두 외출해서 집에 저와 그 아이뿐이었습니다. '이런 기회는 다시없을 거야' 하고 누군가가 속삭이는 것 같았습니다. 사방으로 고개를 돌려보았지만 아무도 없었습니다. '기회를 놓치지 마' 하고 또 누군가가……. 저는 두 손으로 제 귀를 막았습니다.

기미타카는 옥상에서 문조를 놓아주고는 하늘을 향해 손뼉을 치고 휘파람을 불고 있었습니다. 그런데 병상에서 일어난 지 얼마 안 된 데다 강한 햇볕을 오래 쬐어서 현기증이 나는지 비틀거리며 옥상 난간을 잡았습니다. 바로 그 찰나에 저는 그를 확 밀어버렸습니다. 그는 떨어지지 않으려고 필사적으로 난간에 매달렸습니다. 저는 그 손을 난간에서 떼어내려고 애썼고 그는 미친 사람처럼 제 머리카락을 꽉 쥐었습니다. 뜯긴 검은 머리카락이 기미타카의 손에 뱀처럼 얽혔습니다. 저는 머리를 뒤로 젖히며 그의 가슴을 팍 하고 떠밀었습니다. 외마디 비명과 함께 그는 추락했습니다. 정말 순식간에 일어난 일입니다.

저는 꿈속에 잠긴 듯 멍하니 숨통이 막힌 것처럼 밭은 호흡을 내뱉었습니다. 갑자기 번쩍 정신이 돌아와 쏜살같이 옥상정원을 내려왔습니다. 그러나 뒤통수를 세게 부딪친 그는 이미 숨이 끊어져 있었습니다.

제가 죽였으면서 무슨 모순일까요. 저는 기미타카를 안아 거실에 눕히고 정신없이 인공호흡을 했지만 소용없었습니다. 그러자 갑자기 저지른 죄가 두려워져 몸이 덜덜 떨렸습니다. 살인! 이 얼마나 어마어마한 일을 저지른 걸까요.

기미타카가 아무리 나쁘다고 해도 이제 겨우 열한 살인데……. 그런데 이렇게 어이없게……. 돌이킬 수 없는 짓을 저지르고 말았습니다. 저는 시체를 끌어안고 소리 내어 울었습니다. 금방이라도 무슨 말을 할 것 같은 귀여운 얼굴이었습니다. 저는 볼을 비비며 가만히 생각에 잠겼습니다. 적어도 이 아름다움만이라도 영원히 남기고 싶었습니다. 저는 의학도였고 학교를 졸업하고 주부가 된 이후에 집에서 여러 가지 연구를 한 적이 있었습니다. '어서 그것을 활용해보자' 하고 서둘러 어떤 약품을 조제해 그의 사타구니 정맥에 작은 펌프를 연결해 2,000그램의 액체를 주입했습니다. 그것은 시체의 부패를 완전히 막는 약품이었습니다.

그다음에야 비로소 시체를 숨길 장소를 물색했지만 마땅한 곳이 어디에도 없었습니다. 이런저런 고민 끝에 불현듯 떠오른 곳이 신탁 지하 2층에 보관 중인 와불상이었습니다. '그 안에 넣어버리자!' 이 얼마나 좋은 생각입니까. 생전에는 악마의 마음을 가진 소년이 죽어서 불상이 되다니 이 얼마나 감사할 일입니까. 저는 눈물이 날 정도로 기쁘고 좋은 생각이라며 감탄했습니다.

저는 다른 사람에게는 교환할 옷이 들어 있다고 하고 나무상자에 그를 넣어 자동차로 운반했습니다. 큰 짐을 넣고 빼는 것은 매번 있는 일이기 때문에 신탁 사람들의 의심을 사지 않았습니다. 와불상의 텅 빈 내부에 그를 눕히고 그 주변에 구석구석 빈틈없이 애드솔(adsol)을 채워 넣어 밀폐하고 열쇠로 잠가 이중으로 외부 공기의 침입을 막았습니다. '이제 됐어' 하고 안심하고 집으로 돌아갔습니다.

저는 기미타카의 시체를 인공 미라로 만들 생각이었습니다. 자연 미라처럼 지저분하지 않고 그의 아름다움을 영원히 유지하는 인공 미라입니다. 사실 제가 죽으면 인공 미라로 만들어달라고 하려고 다년간 연구해왔습니다.

그런데 기미타카의 시체도 발견되지 않은 데다 죽었다는 증거도 없어서 행방불명으로 처리되었고, 그가 발견되기 전까지는 실종된 날을 기일로 정하게 되었지요.

3주기 기일, 그러니까 이 유서를 쓰기 전날에 저는 신탁에 들어가 와불상을 열어보았습니다. 제가 제조한 인공 미라! 아아, 그것은 대단히 성공적이었습니다. 살아 있는 듯한 그의 아름다운 얼굴은 생전과 조금도 다르지 않았습니다. 저는 감격의 눈물을 흘리며 오래된 애드솔을 새것으로 바꾸고 원래대로 봉하고 돌아왔습니다. 기미타카는 불상 안에 살아 있습니다. 영원히.

그것을 확인했으니 저는 죗값을 치르겠습니다. 처음부터 각오한 바였습니다.

후지와라 사에코

4

유서를 다 읽은 코세이는 천천히 자리에서 일어나 말했습니다.

"실은 지금부터 여러분과 함께 와불상의 내부를 열어 보려고 합니다. 저희는 아직 아무것도 손대지 않았습니다. 그럼 따라오시지요."

그를 선두로 손님들이 뒤를 따랐다. 호기심이 동하면서도 마치 무덤을 파헤치는 기분이어서인지 입을 여는 사람이 한 명도 없었다. 그저 긴 복도에 발소리만 들렸다.

이윽고 코세이의 지시에 따라 보좌관과 집사가 와불상의 뒤로 돌아가 봉한 것을 뜯고 잠금장치를 열었다. 두 사람이 와불상에 손을 뻗으려 하자 "잠깐! 기다려!"

라며 코세이가 제지하고 좌중을 돌아보며 말했다.

"여러분, 더 다가오십시오. 지금부터 와불상을 열겠습니다."

코세이가 보좌관과 집사를 돌아보며 눈으로 신호를 보냈다. 긴장한 얼굴로 나란히 선 모두가 숨을 죽였다. 무거운 공기가 실내에 가득했다.

철컥. 와불상의 뒤쪽이 열리며 내부가 드러났다.

"어머!", "이런!" 하고 놀라는 소리가 들렸다.

"아니, 이럴 수가……. 이건……."

코세이가 창백한 얼굴로 망연자실하며 중얼거렸다.

"뭐야! 인형이잖아!"

편집국장이 씹어 뱉듯이 말했다.

아름다운 인공 미라를 상상했던 사람들의 앞에 나타난 것은 아기자기한 마린복을 입은 남자아이 인형이었다.

코세이도 예상하지 못했는지 변명의 말도 없이 쩔쩔맸다. 그러다 인형의 가슴 쪽에 들어 있던, 제2의 유서로 보이는 봉투를 발견했다.

그는 살았다는 듯이 안도의 한숨을 내쉬며 그것을 손

에 들고 말했다.

“여러분! 여기 또 다른 유서가 있습니다. 자, 그럼 읽어보죠.”

후지와라 코세이 님 귀하

인공 미라를 만들고 싶었지만 유감스럽게도 여자 혼자서는 도저히 보관이 어려웠습니다. 하는 수 없이 포기하고 이 저택의 잡목림에 묻었습니다. 그곳은 뱀이 자주 출몰하여 사람들이 접근하지 않으니까요. 잡목림의 백단향 나무 근처에 파묻었습니다. 지금쯤이면 이미 흉측한 백골이 되었겠지요. 아름다운 인공 미라를 완성하지 못한 것은 참으로 유감입니다. 유일한 위안이라면 친한 인형사에게 부탁해 기미타카를 닮은 얼굴의 인형을 만들 수 있던 것입니다. 때때로 신탁을 방문해 그것으로 위로를 받았습니다.

후지와라 사에코

코세이의 명에 따라 즉시 잡목림의 백단향 근처를

갈아엎었고 이내 소년의 백골을 찾았다고 집사가 보고
했다.

(1947년 11월)

공포의 스파이

사립탐정 사무실의 손님

멀리서 벨 소리가 들리는가 싶더니, 갑자기 침실 문을 누군가가 세차게 두드렸다.

"선생님! 선생님! 손님이에요!"

성격 급한 가정부의 호들갑에 잠이 깼다. 자명종을 보니 아침 6시다. 사립탐정으로 일하다 보면 어처구니없는 시간에 방문객을 받는 일이 부지기수다. 그런 사람일수록 까다로운 용건을 들고 오는 법이다. 나는 혀를 차면서 담요를 푹 뒤집어썼다.

"시끄러워요! 이제 막 한숨 더 자려고 했단 말입니다. 볼일 있으면 기다리라고 하세요!"

"하지만 선생님, 아주 시급히 뵙고 싶다고 하는걸요."

"어떤 사람인데요?"

"이름은 말씀하지 않으셨지만, 보면 아실 거예요. 훌륭하시고 굉장한 미인이고, 아, 젊은 분이에요."

결국 담요를 걷어내고 벌떡 일어나 앉았다.

"어쩔 수 없군요. 응접실로 모셔요."

나는 항상 단정한 차림새를 하려고 신경 썼다. 면도하고 서둘러 세수한 후 외출복으로 갈아입은 후 응접실에 들어섰다.

"맙소사, 당신이었습니까? 실례했습니다. 성함을 말씀 안 하셔서……."

아침 햇살이 비치는 창문 옆에 의자를 가져와 "여기 앉으세요" 하고 자리를 권했다.

가정부의 말대로 엄청나게 아름답다. 분명 스물아홉 살이라고 알고 있는데, 겉보기에는 기껏해야 스물두세 살가량으로 보였고, 눈이 번쩍 뜨일 만큼 강렬한 붉은색의 오버사이즈 코트 차림이다. 그녀는 마쓰오카 구(舊) 백작의 후계자인 가즈오의 부인으로, 유례없는 미모의 소유자로 유명하다.

몰락한 계급에 속하는 구 백작이 지금도 여전히 과거

와 마찬가지로 정계의 숨은 세력이자 상당한 권력의 소유자임을 모르는 사람은 이 세상에 없다. 하지만 그는 늘 표면에 나서지 않고 뒤에서 조종하는 흑막이었다. 사실 그랬기 때문에 지금껏 살아남았다고 해도 과언이 아니다.

그런 그를 두고 '너구리 영감'이라든지 '칼싸움의 달인'이라든지 안 좋게 말하는 사람도 있다. 그만큼 교활하고 처신을 잘한다는 뜻인데, 확실히 그렇게 불릴 만한 면은 있다. 그 거액의 부(富)도 재산세니 취득세니 해서 대부분 잃었을 텐데, 여전히 옛날 그대로의 생활을 유지하는 것은 그가 지혜로운 사람이었기 때문에 가능했으리라.

가정부가 불쏘시개로 화로에 불을 붙이고 차를 나르는 동작을 부인은 초조한 기색으로 지켜보다가 그녀가 응접실에서 물러나자마자 갑자기 무릎걸음으로 다가와 말했습니다.

"선생님, 이렇게 이른 시간에 갑자기 찾아와 무리한 부탁을 드려 죄송합니다만, 사실 큰 걱정거리가 생겼습니다. 자세한 이야기는 가면서 말씀드리겠습니다. 지금 자택에 같이 가주셨으면 합니다. 괜찮으실까요?"

부인의 얼굴을 자세히 보니 초췌했고 낯빛은 창백했으며 입술은 잘게 떨리고 있었다. 무슨 일인지는 몰라도 그녀한테만큼은 중대한 일로 곤란에 직면한 것은 확실해 보였다.

나는 코트를 입고 부인과 함께 현관을 나섰다. 뉴포드 자동차가 세워져 있었다.

시트에 앉아 일부러 천천히 담배에 불을 붙이고 침착하게 "무슨 일입니까?" 하고 말문을 열었다.

"말씀드린 적이 없어서 아시는지 모르겠지만, 남편이 지난봄에 시베리아에서 귀환한 건 아시죠?"

"아자부에 있는 마쓰오카 본가에서 한두 번 만났습니다."

"아버님이 지금 병환 중이시고 요즘 위독한 상태라는 것도 아시죠?"

"신문에서 봤습니다."

"그 때문에 지금 집안이 발칵 뒤집혔습니다. 이런 와

중에……, 사실 남편은 행방불명 상태입니다."

"언제부터요?"

"오늘로 일주일째입니다."

부인은 입을 꾹 다물고 눈물을 글썽였다.

나는 계속 말하라는 듯이 부인의 얼굴을 말없이 쳐다보았다. 행방불명이라는 한 단어로 그녀의 상황이 어떨지 여러 가지 상상이 되었다.

가즈오가 출정하기 직전에 부모와 친족의 반대를 무릅쓰고 그의 아내가 된 부인은 그 당시에 잘나가던 영화배우였다. 결혼 후 영화 관계자는 물론 화려한 인맥을 모두 끊고 백작가에 깊이 입성해버렸다. 지금은 아무리 봐도 타고난 귀부인이 되었지만, 그녀가 이렇게 되기까지 수많은 고충이 있었을 것이다. 나는 가즈오의 행방불명 이면에는 복잡한 사정이 숨어 있으리라고 확신했다.

잠시 후 부인은 입술을 바르르 떨면서 말했습니다.

"알고 계시겠지만, 마쓰오카 집안에는 남편 가즈오와 시동생 가오루, 둘밖에 직계손이 없습니다. 도련님은 화가이시고 성정이 순한 사람으로, 시부모님과 사이가 좋고 또 실제로 세심해서 가려운 곳을 긁어주듯 불편함 없이 아버지의 병간호를 해요. 시부모님도 굉장히 흡족해하시죠. 반면 가즈오는 말이 없고 무뚝뚝하며 빈말도 못하고 살갑지도 않아요. 어쩌다 보니 무정하다느니 불효자라느니 평판이 좋지 않아요. 그런데 일주일 가까이 아버지 앞에 얼굴도 안 비치고 간호도 안 하니까 남편이 실종된 사실을 모르는 아버님은 제를 호되게 윽박지르시고 욕설을 퍼부으세요. 중간에서 너무 괴롭습니다."

"가즈오 씨의 실종을 백작은 모르나요?"

"비밀로 했어요. 어머님은 알고 계시지만……."

"왜 알리지 않았습니까?"

"알렸다가는 큰일 나요. 중병에 걸린 부모를 버리고 모습을 감춘 발칙한 놈에게 이 집안을 상속할 수 없다고 할 겁니다. 안 그래도 차남인 가오루 씨에게 상속하고 싶은 마음이 굴뚝같은 게 눈에 보여서 죽겠습니다. 어머님이 중재해주시는 동안 어떻게든 남편을 찾아 마지막 병상을 지키도록 하지 않으면 마쓰오카 집안 상속을 도련님에게 빼앗기고 말 거예요. 부디 남편을 찾아 주세요. 선생님, 간곡히 부탁드립니다. 남편 가즈오를 찾아주세요."

"수사 의뢰는 하셨습니까?"

"예. 경찰에 신고했는데, 요즘 계속 큰 사건이 터져서인지 가출 정도는 대수롭지 않아 하더군요. 아직 아무런 단서가 없습니다. 그래서 사설 업체에 눈을 돌리게 되었어요. 다른 분에게는 상담받지 않았습니다. 곧바로 선생님을 찾아와 부탁드리는 겁니다."

"제게 의뢰한 일은 당분간 비밀로 하는 것이 좋겠습니다."

"예. 남편을 찾으면 '아버지가 위독해지니 드디어 나타났다'보다 '간호하러 돌아왔다' 쪽으로 정리하는 게 좋겠지요. 그렇지 않으면 가즈오가 쓸데없는 오해를 받을 테니까요. 안 그래도 늘 동생과 비교당해서 불쌍한데……. 형보다 낫다며 칭찬받는 가루오 도련님은 요즘 이삼 일을 꼬박 새우며 간호합니다. '형님 몫까지 아버지를 돌보는 겁니다'라고 제게 말하지만, 그럴수록 후계자인 가즈오의 소홀함이 눈에 띄는데 말이에요. 벌써 일주일째입니다. 아, 어디를 서성거리고 있는 걸까요. 아버님이 위독하다는 소식은 신문에도 실려 알 법도 한데……. 정말 어떻게 해야 할지 모르겠어요."

"혹시 짐작 가시는 곳이 있습니까?"

"이번엔 도저히 모르겠습니다."

"그 말씀은 이전에도 집을 나간 적이 있다는 뜻입니까?"

"며칠 동안 안 들어온 적은 없지만, 행선지도 말하지 않고 저녁에 훌쩍 나가서 다음 날 아침에 슬쩍 들어온 적이 한두 번 있었습니다."

"돌아온 후에도 어디 갔다 왔는지 말 안 했나요?"

"남편은 아주 과묵한 사람이에요. 시베리아에서 귀환한 뒤로는 더 과묵해졌습니다. 뭘 물어도 대답하지 않는 경우도 종종 있었어요. 자세한 이야기는 집에 도착해서 말씀드리겠지만……."

"남편 방은 집을 나갔을 때 상태 그대로인가요?"

"예. 경찰에 신고했을 때 손대지 말라고 들어서 건드리지 않았습니다. 제가 보기에는 그다지 다른 점은 없어 보였는데, 어쨌든 선생님께 방을 한번 봐달라고 부탁드리려고 했습니다.”

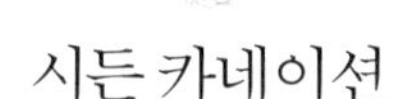

시든 카네이션

자동차는 하얀 양옥 앞에서 멈췄다. 그리 큰 건물은 아니었으나 주변 부지가 넓었고 정원은 온통 잔디밭이었다. 아직 공습 흔적이 덜 정리된 데다 옆집과 거리가 뚝 떨어져 있어서 들판 한복판의 외딴집처럼 보여 어쩐지 쓸쓸한 기분이 들었다.

부인의 뒤를 따라 차에서 내린 나는 우선 집 주변을 걸으며 살폈다.

"남편의 방은 어디인가요?"

부인은 멈춰 서서 반쯤 열려 있는 창문을 가리키며 말했다.

"저기 창문 있는 방입니다. 저렇게 창문을 열어두면 위험하니까 복도 쪽으로 난 문에 새로 자물쇠를 달아서 저 방 자체를 독립시켜서 문단속은 확실히 했습니다. 남편은 몹시 겁이 많아졌습니다. 전에는 매우 건강한 사람이었는데 시베리아에서 돌아온 뒤로 마치 사람이 바뀐 것처럼 겁에 질려 있었어요. 매일 밤 자기 전에 직접 주변을 돌며 일일이 문단속을 하고 모든 확인을 끝내고 나서야 안심하고 잠자리에 들었습니다. 그런데 그날 아침은 창문을 열어둔 채로 나갔으니 기가 막힐 노릇입니다."

부인이 "자, 이쪽으로 오세요" 하고 현관 쪽으로 안내했다.

"먼저 들어가세요. 저는 정원을 한번 둘러보고 가겠습니다."

"그럼 차를 준비해둘 테니 조사가 끝나면 바로 들어오세요."

나는 창문 아래에 서서 주의 깊게 땅 위를 살폈다. 일주일이 지나서 분간이 어려웠지만, 어지럽게 찍힌 구두 발자국이 있었고 그중에 고무 밑창의 구두가 섞여 있는 게 똑똑히 보였다. 발자국을 따라 빙 돌아가니 건물 뒷문이 나왔다. 뒷문은 단단히 자물쇠로 잠겨 있었는데, 오랫동안 연 적이 없었는지 자물쇠가 녹슬어 있었다. 문기둥에 이어진 낡은 나무울타리는 군데군데 부서져 개구멍같이 큰 구멍이 나 있었고 그 주변의 나무판자는 헐렁헐렁해 보일 만큼 망가져 있었다. 나무판자를 손으로 누르면 성인이 몸을 굽혀 빠져나갈 수 있을 정도로 구멍이 커졌다.

몸을 굽히고 어깨를 비스듬히 하니 밖으로 나갈 수 있었다. 부서진 나무판자에 스쳤는지 뾰족한 판자 끝에 코트의 털 한 가닥이 걸렸다.

뒷문 밖에는 단단해 보이는 흙 위에 타이어 자국이 여러 갈래 나 있었다. 사람의 왕래는 그다지 빈번하지 않은 것 같지만 자동차가 쉽게 지나다닐 수 있는 길이 있어서 저택의 변두리로 넓게 왕래할 수 있었다. 울타리를 꼼꼼히 조사하는 중에 다른 나무판자에도 내 코트 이외의 옷감이 걸려 있는 걸 발견했다. 손으로 떼보니 흰색 비단이었다. 동시에 담장 아래 도랑에 꽂혀 있는 뾰족한 무언가가 눈에 띄었다. 주워서 진흙을 씻어내니

고급스런 진주 넥타이핀이었다.

두 가지 단서를 획득하니 자신감이 생겼다. 부인은 차를 끓여놓고 나를 기다리고 있었다. 나는 먼저 비단부터 꺼내 보여주었다. 그녀는 건네받은 비단을 보더니 갑자기 얼굴빛이 바뀌었다.

"어디서 찾으셨어요? 이건 남편이 그날 입었던 와이셔츠 천이에요. 역시! 내 예상이 맞았어요. 선생님, 가즈오는 분명 살해당했을 거예요. 틀림없어요."

부인은 두 손으로 얼굴을 감싸더니 몸을 떨며 흐느껴 울었다.

부인이 그날의 남편을 그리워하는 듯이 "이 와이셔츠에 어울리는 넥타이를 매고 좋아하는 진주 넥타이핀을 꽂았어요"라고 말했기에, 그녀를 더 큰 슬픔에 빠뜨리는 게 싫었던 나는 구태여 넥타이핀을 꺼내 보여주지는 않았다.

잠시 후 부인은 눈물에 젖은 얼굴을 들어 나를 보며 말했다.

"선생님, 가즈오가 귀환하고 나서 있었던 일을 전부

말씀드리겠습니다. 듣고 판단해주세요. 선생님도 남편이 살해당했다고 생각하시죠?"

"벌써부터 그렇게 걱정하지 않으셔도 됩니다. 시체가 발견된 것도 아니고 단순히 행방불명된 것만으로 그렇게 단정할 순 없습니다. 어딘가에 무사히 계실지도 모릅니다. 숨기지 말고 전부 말해주세요. 남편분 방을 보여주시겠어요?"

부인은 단단히 잠근 문을 열고 그의 방으로 안내했다.

다다미 여덟 장 정도의 서양식 방이었다. 커다란 책상에는 읽다 만 원서가 펼쳐져 있었다. 회전의자가 빙글 돌아가 있는 것을 보면 급히 일어난 것 같다. 책상 위 꽃병에는 시든 카네이션이 꽂혀 있었다. 모두 네 송이였다. 빨간 페르시아 양탄자 위에 한 송이가 엉망으로 짓밟힌 채 떨어져 있었다.

책을 읽다가 누가 불러서 허둥지둥 일어나던 순간, 카네이션 한 송이가 소매에 걸려 떨어졌고 그는 그것을 집어들 틈도 없이 짓밟고 저 낮은 창문으로 뛰쳐나갔으리라고 나는 상상했다.

내가 방 전체를 샅샅이 조사하고 나자 부인이 이야기를 들려주었다.

권총으로 계약서를

어떻게 결혼하게 되었는지부터 이야기해야겠지요. 아무래도 시부모님을 비롯해 거의 모든 친족이 반대했으니까요. 신분이 다른, 한낱 여배우를 유서 깊은 마쓰오카 가문의 후계자 부인으로 들일 수 없다고 말이지요. 그런 반대를 무릅쓰고 결혼까지 끌고 가는 것은 무척 힘든 일이었습니다. 그런 우리를 동정하며 한편이 되어준 사람이 가오루 도련님이었어요. 물심양면으로 우리 부부를 도와주었습니다. 그렇게 무리한 결혼을 했기 때문에 가즈오가 출정하고 난 후에 제 입장은 실로 비참했습니다. 본가에 갇혀 엄한 아버님을 모시면서 조금의 자유도 허락되지 않았지요. 하루하루 눈물로 지새우며 그저 남편이 무사히 돌아올 날만 기다렸어요.

도련님은 화가라서 화실도 필요했기 때문에 아자부의 본가 한쪽에 화실 겸 작은 집을 지어 그곳에서 살았습니다. 공습 당시에 훌륭한 방공호 역할을 한다고 했던 수로를 지하실로 활용하여 그 위에 지은 것입니다. 본가 한쪽에 마련했다고 하지만 거리가 상당히 떨어져 있었습니다. 먼 거리였지만 저는 종종 화실을 찾아가 도련님에게 위로를 받으며 근심을 덜었습니다. 도련님은 여자의 마음을 잘 알아주었기 때문에 모두 그를 좋아했습니다. 그런데도 들어오는 혼담을 거절하고 아직 독신생활을 유지하고 있지요. 독신이라는 점이 한층 매력적으로 보이는지 도련님을 찾는 여자 손님이 끊이지 않았어요.

언젠가는 도련님이 "혹시 형이 그곳에서 죽은 게 아닐까요?" 하고 말했습니다. 귀환한 친구에게서 그런 소문을 들었다는 겁니다. 본토에서 돈을 너무 많이 써서 그곳에서 병사들이 영양실조로 쓰러지는 모양이라고요. 그 소식을 들은 이후 저는 돌아오지 않는 남편을 기다리는 게 견딜 수 없이 슬퍼져서 매일같이 화실에 찾아가 울었습니다.

그런데 어느 날 갑자기, 소식 한 통 없던 가즈오가 귀환한다는 희소식이 전해졌습니다. 기쁨으로 미쳐버린 사람이 있다면, 아마 그때의 저를 가리키는 말일 거예요. 희소식을 전해준 사람도 도련님이었습니다. 저는 너무도 기쁜 나머지 저도 모르게 도련님에게 매달리고, 손을 잡고, 껴안고, 입술로 손을 비비며 아이처럼 기뻐 돌아다녔습니다. 도련님은 제가 하는 대로 가만히 몸을 맡기고 있었습니다. 그리고 어느 정도 진정된 듯 보이자 말했습니다.

"이런 모습을 누가 보기라도 하면 큰일 나요."

한마디를 던지고 밖으로 나가버렸습니다.

나중에 돌이켜보니 너무 기뻐서 그랬다고 해도 정말 어처구니없는 짓을 한 것 같아 부끄러웠습니다. 그렇게 기쁘게 맞이한 가즈오는 어떻게 된 일인지, 출정 전과는 전혀 다른 사람처럼 우울하고 어두운 남자가 되어 있었습니다. 항상 생각에 잠겨 있고 무언가에 겁을 집어먹은 모양이었습니다. 마치 '공포병'이라도 걸린 사람 같았어요.

본가는 갑갑했기 때문에 조속히 지금 이 집으로 이사했습니다. 느긋하게 둘이서 신혼생활을 보낼 수 있을 거라며 희망에 부풀었던 저는 남편이 귀환한 날부터 실망하고 말았습니다. 4~5년을 어떻게 살았는지 묻고 싶은 게 산더미였는데, 어떤 질문에도 답해주지 않았습니다. 남편은 아내인 저조차 마음을 놓을 수 없다는 듯한 태도였어요. 정말 이상한 남자가 되어 있었습니다.

의사는 극심한 신경쇠약이라고 진단했습니다. 수면제의 힘을 빌리지 않으면 잠들지 못하는 밤이 계속됐습니다.

한밤중에 벌떡 일어나 주위를 두리번거리는가 하면 갑자기 무서운 듯이 몸을 떨면서 책상 밑으로 숨었습니다. 그럴 때 남편의 얼굴은 오싹하리만큼 황량했습니다.

확실히 가즈오는 정상이 아닌 것 같았습니다. 원래 마음이 약하고 섬세한 남자였으니 출정하고 고국 땅을 밟기까지 무서운 생각도 했을 테고 목숨이 오가는 일도 겪었을 테지요. 분명 입에 담을 수 없는 다양한 경험을 했을 거예요. 그의 마음을 위협하는 일이 없었다고는 할 수 없습니다.

저는 가즈오의 수척한 얼굴을 볼 때면 뺨을 타고 흘러내리는 눈물을 주체할 수 없었습니다.

'내가 갖은 고생하며 기다린 남편인데, 이렇게 냉정하고 이상한 사람이 되어버리다니……. 서럽고 슬프다. 어떤 비밀이라도 내게 털어놓았으면……' 하고 절실하게 바랐습니다.

가즈오 본인도 매우 괴로운 듯 보였습니다. 물론 무엇 때문에 괴로워하는지는 모릅니다. 그저 혼자서 번민하고 있었기 때문에, 저는 더 이상 참을 수 없어서 도련님에게 털어놓았습니다.

표정이 어두워진 도련님이 말했습니다.

"형님이 설마 뭔가 나쁜 일이라도 저지른 게 아닐까요? 그곳에 있는 동안 꽤 난폭한 짓을 했다는 사람도 있으니까요. 어쩌면 형은 사람을 죽였는지도 모릅니다. 범죄가 발각될까 두려워하고 있는 게 아닐까요. 심약한 남자가 자신이 저지른 죄에 겁을 집어먹고 발광했다는 이야기도 있고…….”

“설마요! 그런 엄청난 일을 할 사람이 아니에요. 분명 뭔가 무서운 일을 당한 걸 거예요.”

“그럼 형수가 물어보면 되겠네요.”

“물어도 답해주지 않는걸요.”

“혈육뿐이죠. 진짜 마음을 알아줄 사람은……. 형이 털어놓기만 하면 나는 고통의 반을 짊어질 텐데.”

도련님은 여전히 마음씨 좋은 사람이었습니다. 저는 마침내 큰맘 먹고, 어느 날 밤 가즈오에게 말했습니다.

“제가 아내로서 자격이 없기 때문에 아무것도 털어놓지 않는 것이겠지요. 그렇다면 어쩔 수 없으니 부부의 연을 끊겠어요.”

그렇게 강하게 말했지만, 저는 남편이 헤어질 마음이 눈곱만큼도 없다는 걸 알고 있었습니다. 저 또한 지금껏 꾹 참고 기다렸는데 새삼 헤어질 생각이 없었지요. 하지만 부부 사이에 비밀이 있다는 게 도저히 참을 수 없었습니다.

살인을 했다 해도 상관없었어요. 더 나쁜 짓을 저질

렀대도 저는 경악하지 않았을 거예요. 그보다는 마음을 털어놓지 않는다는 사실이 불쾌했어요. 저를 믿지 않는다는 뜻이니까요.

가즈오는 뭔가 대단한 결심을 한 듯 고개를 들어 저를 바라보더니, 절대 누설하지 않겠다는 맹세를 하라고 했습니다. 그렇게 하겠다는 서약을 받고서야 비로소 마음의 고민을 털어놓았습니다.

남편은 수용소에 있었을 때 친한 명문가 자제 몇 명이 모여 연구회 같은 걸 만들어서 무료함을 달랜 적이 있다고 합니다. 그때 바닥에서 둥글게 말린 작은 종잇조각을 우연히 발견한 것입니다. 주워서 펴보았더니 그룹 중 한 명이 상관에게 쓴 밀고장이던 겁니다. 물론 가즈오의 이름도 적혀 있었습니다. '서로 믿고 있는, 불과 몇 명 되지도 않는 그룹에도 스파이가 있구나' 하고 깜짝 놀랐다고 합니다.

가까운 곳에 이런 사람이 있으니 방심할 수 없다고 생각했지만, 누가 스파이인지 알 수 없는 데다 쉽게 말할 수도 없는 일이라 그대로 두었는데, 어느 날 갑자기

M중위라는 사람이 호출했다는 겁니다.

무슨 일 때문인지 몰라 쭈뼛쭈뼛 찾아가니, 중위는 코냑, 과자 같은 귀한 음식을 내주며 가즈오를 다정하게 맞아서 남편은 여우에게 홀린 기분이었다고 합니다. 중위는 남편에게 "나는 도쿄에 있었던 적도 있네. 자네 아버지는 정계의 거물이지? 표면에 드러나진 않지만 숨은 세력가라며?" 하고 칭찬을 늘어놓았다고 합니다. 낯간지러운 동시에 어떻게 이렇게 잘 알고 있을까 의아해하고 있는데 전령이 와서 중위에게 귓속말을 했습니다.

중위는 곧바로 자리에서 일어나더니 가즈오에게 따라오라고 명해서 갑자기 그곳을 떠나게 되었다고 합니다. 어디로 가는지도 전혀 모른 채로요.

밖에는 지프 한 대가 정차해 있었습니다. 중위의 명령으로 가즈오도 탑승했습니다. 지프는 빠른 속도로 시베리아 대평원의 언덕을 몇 개나 넘어 30분 가까이 달렸습니다. 그렇게 수다스럽던 중위는 그동안 한마디도 하지 않았고, 어디로 가느냐는 물음에도 입가에 미소를 머금은 채 답하지 않았습니다. 섬뜩해진 가즈오는 불안해서 견딜 수 없었지만 도망칠 수도 없었습니다. '하늘에 맡기는 수밖에……' 하고 눈을 감고 될 대로 되라며 체념하는데 덜컹 하고 차가 멈췄습니다.

눈을 떠보니 빽빽한 삼림에 둘러싸인 아주 작은 평지에 천막 하나가 세워져 있었습니다. 주위는 쥐 죽은 듯이 조용했습니다. 중위는 남편을 데리고 천막 안으로 들어갔습니다.

천막 안은 술판이 벌어져 있었는데, 통나무 다리가 달린 테이블 위에는 산해진미가 수북하게 담겨 있었고 값비싼 양주병이 빼곡했습니다. 실로 화려한 연회였는데, 테이블에 앉아 한창 술을 즐기는 이들은 군복 차림의 장교, 양복 차림의 청년, 아름다운 여인 이렇게 세 명뿐이었습니다. 그녀는 스물일곱 살가량의 활발한 성격으로 보였고 아름다운 얼굴에 이지적인 눈이 반짝였습니다.

주위의 소개로 그 여성의 옆자리에 앉았는데, 가즈오는 영문을 알 수 없어 꿈속인가 싶어 멍하니 있었다고 합니다. 사람들은 남편을 위해 건배를 하고 자못 정중한 태도로, 또다시 마쓰오카 백작을 화제에 올리며 아버님의 교우 관계 같은 것을 꼬치꼬치 물었다는 겁니다. 용케 자세히도 조사했구나 싶어 놀라울 정도였다고 해요. 온화하게 잡담을 나누고 있지만, 언제든 허리춤에 찬 권총이 불을 뿜을 것 같아서 방심할 수 없는, 왠지 위협적인 온화함이었습니다. 본토에 있을 때 남편이 어떤 일을 했는지 자세히 묻고 난 다음에 격식을 차린 말투로 그들의 나라에 충성을 맹세할 것이냐고 물었다고 합니다.

가즈오가 대답을 할 수 없어 잠자코 있었더니 일행 중 한 명이 말했습니다.

"대답을 안 한다는 것은 승낙한다는 뜻이다. 종이를 줄 테니 이쪽이 말하는 대로 적어."

"무엇을 적습니까?"

"물론 서약서다. 자국에 충성을 맹세하는 거다."

"그런 일은……."

"쓰지 않겠다는 건가?"

장교는 허리춤에 찬 권총을 꺼내 총구로 가즈오를 겨누며 말했습니다.

"자, 어서 써."

거부는 곧 죽음이었습니다. 남편은 총구가 겨누어진 채로 펜을 들고 그가 불러주는 대로 서약서를 작성하고 말았습니다. 확실히 기억나지는 않지만, 서약서에는 주소, 성명, 생년월일을 기입하는 칸이 있었고 그다음에는 일본어에 익숙하지 않은 사람이 작성한 듯한 문장으로 이런 내용이 적혀 있었다고 합니다.

> 나는 소비에트사회주의공화국연방을 위해 명령받은 일은 무슨 일이 있어도 수행하겠다고 맹세합니다. 이 일은 절대로 누구에게도 발설하지 않겠습니다. 본토에 귀국해서도 부모형제는 물론 친한 사람에게도 말하지 않을 것을 맹세합니다. 만약 맹세를 어긴다면 달게 처벌받겠습니다.

가즈오는 일본에 남아 있는 저를 생각하니 거절할 수 없었다고 합니다. 속으로 아버지에게 용서를 빌면서 서약할 수밖에 없었다며 눈물을 뚝뚝 흘렸습니다.

서약을 마치자 아름다운 여성은 자리에서 일어나 남편에게 악수를 청하더니 영혼을 녹이는 미소를 지으며 그의 귓가에 진홍빛 입술을 대고 다정한 목소리로 속삭였습니다.

"당신의 임무는 도쿄에 돌아가고 난 후에 주겠습니다. 그쪽에서 다시 만나요. 그때까지 잘 지내요."

여자는 서둘러 자리를 떴습니다. 지프가 움직이는 소리가 들리는가 싶더니 곧 점점 작아지더니 사라져버렸습니다.

"암호를 가르쳐주지"라고 말하며 장교는 가즈오의 귓가에 입을 가까이 댔습니다.

그러고 나서 주의 사항을 알려주었습니다.

"언제 어디에서 어느 국적의 사람이든, 그 사람이 일본인인지 중국인인지 조선인인지 모르지만, 지금 가르쳐준 암호를 대는 사람이 나타나면 반드시 그 사람의 명령에 따라야 한다."

그날 이후 가즈오는 자세히 주의를 기울여 살폈는데, 남편처럼 서약서를 쓴 사람이 꽤 있는 것 같았다고 합니다. 하지만 서로 비밀로 가슴에 묻어두고 있었기 때문에 말을 꺼내는 사람은 아무도 없었습니다. 그래서 이제껏 친하게 지냈던 이들도 더는 서로 믿을 수 없게 되었습니다. 의심의 눈초리로 보니 모든 사람이 서약서에 서명한 스파이처럼 보여서, 서로가 서로를 탐색하게 되어버렸습니다.

가즈오에게 하달된 명령은 말할 것도 없이, 유명인인 아버님의 지위를 이용해 이런저런 일을 염탐하는 임무일 게 불 보듯 뻔했습니다. 즉 남편은 스파이 임무를 짊어지고 귀환한 것입니다. 잘못하면 죽는다고 남편이 말했습니다. 언제 살해될지 모른다고 말했습니다.

죽음의 그림자를 짊어진 남자, 남편은 끊임없이 죽음의 공포와 환상에 짓눌려 있었고, 어떤 때는 살아 있는 것이 괴로워 스스로 죽음을 선택하려고 마음먹은 적도 있었습니다.

남편은 사람의 그림자에 겁먹고, 작은 소리에도 창백해지고, 방문객에게 방어 태세를 취했습니다. 어느 날 저녁, 전차 안에서 그 천막에서 만난 여자와 옆모습이 꼭 닮은 사람을 보고 한층 더 우울해지고 번민이 심해졌습니다.

"그녀가 본토에 와 있어. 곧 연락이 올 거야."

방문에 자물쇠를 달아 더 단단히 단속하고, 권총을 손질하거나 무섭도록 예민해져서 작은 소리에도 흠칫 어깨를 들썩였습니다. 물건을 판매하는 사람이 와도 쌍심지를 켜고 탐색하는 지경에 이르렀습니다.

사랑의 범인

성실하고 마음이 약한 가즈오는 책임감도 남달리 강했습니다. 그래서 '임무를 수행하지 않으면 목숨을 잃는다'와 '억지로 서약한 것이니 어떻게든 모면하고 싶다'라는 두 가지 고민으로 괴로워했는데, 때로는 제정신이 아닌 사람처럼 행동하기도 했습니다. 공포로 미쳐버린 것은 아닌가 생각했어요.

저는 남편을 어떻게 위로해야 할지 몰라서 절대로 비밀을 누설하지 않기로 서약했음에도 도련님에게만 사실대로 털어놓고 의논했습니다. 하지만 도련님도 좋은 방도가 없어서 저와 같이 마음만 졸일 뿐이었습니다.

아직 암호를 들고 나타나는 사람도, 아무런 명령도 없습니다. 사실 아무 일도 없었어요. 그런데도 남편은 서약한 이상 언제 명령이 하달될지 모른다, 어디서 누가 나타날지 모른다며 부질없는 걱정으로 늘 긴장 상태였지요.

아버님이 위독하다는 소식이 전해지기 일주일 전의 일입니다. 우리 부부가 본가에 가 있는 동안 이곳에 모르는 부인이 와서 카네이션을 두고 갔다는 겁니다.

남편은 새파랗게 질려서 부들부들 떨었습니다.

카네이션의 꽃술 속에 얇은 종이가 접혀 있었고 그곳에 작은 글씨로 뭔가 적혀 있었다고 하는데, 남편이 곧바로 성냥을 그어 태워버려서 저는 보지 못했습니다.

그것을 시작으로 한밤중에 어딘가에서 전화가 걸려온다든지, '서약을 어긴 자는 엄벌을 각오하라' 같은 글귀가 적힌 발신인 불명의 협박장이 날아들었습니다. 서약을 어겼다는 것은 가즈오가 그 비밀을 제게 털어놓은 걸 말하는 걸 텐데, 그 사실을 어떻게 알았는지 모르겠습니다.

남편은 그들과 연락하는 자가 가까이 있다며 여종 두 명을 급히 해고했습니다.

정신적인 괴로움에 시달려 눈에 띄게 야위었고 이대로라면 미쳐버리거나 자살하거나 해서 비참한 최후를 맞을까 우려했는데 갑자기 사라졌습니다.

남편이 사라진 날, 저는 마침 아버님을 간호하느라 집에 없었습니다. 여종의 전화를 받고 서둘러 와보니 아까 보신 대로 창문이 열려 있었고 남편은 보이지 않았습니다. 여종이 말했습니다.

"남편분이 어젯밤 전화를 받고 뭔가 이야기하는 것 같았어요. 방에 들어가고 아침이 되어도 일어나지 않으시기에 문을 두드려보았지만, 대답이 없었습니다. 열쇠구멍으로 들여다보니 침대가 비어 있어서 깜짝 놀라 연락드린 거예요."

남편은 현관으로 나가지 않은 것으로 보였는데, 현관에도 대문에도 자물쇠가 잠겨 있었기 때문입니다. 본가에서는 "아버지가 위독한데 왜 가즈오는 코빼기도 안 비치냐!" 하고 저를 윽박질렀기 때문에 행방불명이라고는 차마 말하지 못하고 감기로 고열이 심해 일어나질 못한다며 거짓말을 했습니다. 몇 번 거짓말로 무마했지만,

어머님은 차마 속일 수 없어서 사실대로 말했습니다.

가문 사람들은 원래부터 제가 후계자 아내로서 자격이 없다고 반대했기 때문에 남편이 없는 것을 꼬투리 삼아 도련님에게 가문을 상속하려고 합니다.

그러니 아버님의 숨이 붙어 있는 동안 어떻게든 남편을 찾아주세요. 그렇게 위협받고 있어서 제정신이 아닐지도 모르지만 살아만 있어주면 좋겠습니다. 오늘로 일주일째인데 아무런 소식이 없으니……. '어쩌면 이미 이 세상 사람이 아닐지도 모른다'라고 생각하면 저도 살고 싶지 않아요. 선생님 어떻게 생각하세요? 지금은 선생님밖에 의지할 사람이 없습니다. 저는 할 수 있는 게 없어요.

부인은 눈물을 글썽이며 두 손을 모아 내게 부탁했다.

부인의 집에서 돌아온 나는 다음 날 밤 10시까지 한숨도 못 잤다. 나는 부인이 들려준 이야기 속에서 사건의 실마리를 잡았다. 거의 확신이 있었기 때문에 과감히 수사할 수 있었다. 약 30시간 동안 막힘없이 움직였는데, 스스로도 놀랄 정도로 활약이 눈부셨다.

위독하다는 마쓰오카 구 백작은 고령임에도 끈질긴 생명력이 있어서 임종까지는 아직 시간이 있다는 주치의 의견이 있었다.

머리맡에는 백작부인과 가즈오의 부인이 상주했고, 차남 가오루가 가끔 교대했다. 옆방에는 가까운 친족들이 꽉 들어차 있다. 조용한 별실에는 기침 소리 하나 들리지 않았다.

간호사는 은쟁반 위에 놓인 명함을 여종에게서 받아 조용히 가오루에게 건넸다. 명함 위에 적힌 글씨를 본 가오루는 창백해지더니 비틀거리듯 병실을 나왔다.

명함에는 이렇게 적혀 있었다.

> 당신이 감시 중인 환자가 탈출했습니다. 당장 와주세요.

눈앞이 캄캄해진 가오루는 복도에 있는 사람들을 밀치며 쏜살같이 화실로 달려갔다.

화실 내부는 암흑이었다. 전구가 나갔는데 갈아 끼울 겨를이 없었다. 그는 더듬더듬 지하실 문을 열쇠로 열고 계단을 내려갔다. 그러자 아래쪽에서 낮은 목소리가 들렸다.

"간발의 차로 늦었습니다. 환자는 아버지의 임종에 맞춰야 한다고 말하며 뛰쳐나갔습니다."

"뭐라고?"

가오루는 상대의 팔을 움켜쥐고 한 대 치려 했다. 그 순간 상대의 반격으로 뒤로 내동댕이쳐졌다. 부딪힌 곳이 잘못되기라도 했는지 그는 잠시 일어나지 못했다.

"가오루 씨, 당신이 오래 공들인 모처럼의 계획이, 거의 성사 직전에 사립탐정인 저 때문에 물거품이 됐군요. 안타깝지만 어쩔 수 없습니다. 자, 일어나서 제가 하는 말을 들으세요.

영화배우였던 시절부터 형수를 사랑했던 당신은 사람 좋은 얼굴로 환심을 사서 여차하면 유혹해 넘어뜨리려 했습니다. 그런데 운 나쁘게 시베리아에서 형이 귀환한 것입니다. 무사히 돌아온 것을 기뻐해야 할 당신은 반대로 완전히 실망하고 말았습니다.

사랑하는 여인과 형이 동거하는 걸 손가락 빨고 지켜볼 수밖에 없었습니다. 어떻게든 두 사람을 갈라놓으려던 참에, 형수에게서 형의 비밀을 들었던 겁니다. 그리고 무서운 계획을 세운 것이지요.

암흑세력에 당했다고 믿고 신경을 곤두세우고 있는 그에게 묵언 전화를 걸고 협박 편지를 보내며 위협해서 급기야 형을 거의 정신병 환자로 만들었습니다.

형이 점점 피폐해가는 것을 당신은 악마의 미소를 띠며 지켜봤습니다. 카네이션을 보내고 다음 날 밤, 복면을 쓴 당신은 형수에게 들었던 비밀 암호를 대며 형을 창문 밖으로 유인했습니다. 일부러 뒷문으로 빠져나오게 하여 그를 덮쳐 머리에 보자기를 씌우고 준비한 자동차에 태워 화실의 지하실로 끌고 와 감금했던 겁니다. 당신이 항상 신고 다니는 고무 밑창 구두 자국을 남긴 것은 유감입니다.

그리고 당신은 아버지가 임종에 이르기를 고대했던 겁니다. 형이 행방불명이면 싫어도 집안을 이을 사람은 가오루 씨밖에 없으니까요. 당신은 명문을 잇고 재산을 받고 또 미모의 젊은 부인까지 손에 넣을 심산이었겠지요. 그것참 안타깝게 되었군요. 시베리아에서 온 명령이 아니라 사실은 동생 가오루의 계략이라고 알리자마자 가즈오 씨는 바로 정신을 차렸습니다."

그때 쿵쿵 발걸음 소리가 들리더니 젊은 부인이 지하실 입구에서 말했습니다.

"가오루 도련님, 빨리 오세요. 곧 아버님 임종이라고 해요. 그리고 기쁜 소식이 있어요. 형님이 임종 시간에 맞춰 돌아왔어요."

그리고 부인은 그 자리에 있던 제 손을 잡고 감사의 눈길을 보냈다. 가즈오를 유괴한 범인이 동생 가오루라는 것을 부인에게는 아직 말하지 않았다.

가즈오 씨와 둘만의 비밀로 영원히 가슴속에 묻어두기로 약속을 했기 때문이다.

(1950년 5월)

요물의 그림자

암호

응접실에 들어갔을 때 한 신사와 스치듯 마주쳤다.

"저 사람은 제 사촌이에요."

S부인은 손에 쥐고 있던 노트를 내게 건네면서 말했다.

"시간 나실 때 읽어보세요. 그 사람이 쓴 거예요."

"문학이라도 하시나요?"

"아니요, 브로커예요. 젊었을 때 중요한 임무를 맡고 있었는데 한순간의 방심으로 일을 그르치는 바람에 안타깝게도 실직하고 말았답니다. 오랫동안 놀고 지내다가 얼마 전에 겨우 일자리를 구했다고 해요."

나는 바로 그 노트를 읽어보았다.

고베를 떠난 지 이틀째 밤이었다. 배 멀미가 조금 가

셨으니 이제 슬슬 식당에 가보기로 했다.

중요한 임무를 맡고 있다는 사실이 줄곧 머릿속을 떠나지 않아 이번 여행은 아무래도 여느 때처럼 태평하게 즐길 기분이 들지 않았다. 암호 전달 임무 중이었기 때문이다.

출발할 때 사촌 S부인이 신신당부하던 말이 귓가에 계속 맴돌았다.

“이 암호는 네 목숨보다 소중하게 다뤄야 해. 캐리어는 위험해. 수트케이스는 더더욱 그렇고. 몸에 잘 지니고 있어.”

사촌의 당부대로 몸에 잘 지니고 있다. 아마 이보다 안전한 방법은 없을 것이다. 하지만 내가 이 중요한 암호를 가지고 있다는 사실은 아무도 모를 테니 나만 주의하면 된다. 계속 긴장하고 있으면 신경이 곤두서니 부러 밝은 척할 필요가 있다. 이런 생각을 하면서 식당에 들어갔다.

내 지정 자리는 사무장 옆이었다. 조금 늦게 왔더니 다른 사람들은 이미 식사를 시작하고 있었다. 둥근 탁자를 둘러싼 대여섯 명의 손님은 사무장을 상대로 왁자지껄 담소를 나누면서 포크나 나이프를 움직이고 있었다. 모두 건장한 젊은 남자들뿐이어서 이 탁자가 가장 소란스러웠다. 후식을 먹을 차례가 되자 한 쌍의 중국인이 조용히 들어와 내 옆의 빈자리에 앉았다. 꽤나 신분이 높은 사람이라는 것은 복장만 봐도 한눈에 알 수 있었다.

아마 아버지와 딸일 것이다. 어딘지 닮은 구석이 있다. 남자 쪽은 살짝 허리가 굽고 키가 컸다. 얼굴은 아직 젊은데 머리에는 새치가 그득했다.

딸은 스물네다섯은 되어 보였고, 분홍색 중국 전통의상이 아름답고 사랑스러웠다. 하지만 어딘지 아픈 사람 같았다. 몸집이 왜소한 데다 심하게 말라서는 창백한 얼굴을 하고 있지만 상당한 미인이었다. 그 미모가 아깝게도 몸이 너무 쇠약해져서 걷는 것조차 힘겨워 보였고, 보는 사람이 다 아플 정도로 몹시 야위어 있었다.

그들이 자리에 앉을 때 가볍게 인사하면서 딸과 눈이 마주쳤다. 그 눈의 아름다움에 우선 놀라버렸다. 몸은 이미 죽어 있고 눈만 살아 있는 느낌인데, 그 고독한 아름다움이 내 마음을 뒤흔들었다. 여태껏 이렇게나 매력적인 눈을 본 적이 없었다. 나는 그녀의 미모에 완전히 혼을 빼앗기고 말았다.

식사를 마치고 나서 홀로 갑판 위를 걷고 있었다. 계속 그 두 사람이 신경 쓰였다. 식사를 마치면 반드시 갑판에 나올 거라 기대하고 기다렸지만 좀처럼 나타나지 않았다. 몸이 안 좋아서 방에 들어갔을지도 모른다. 나는 어딘지 공허한 기분이 들었다.

유독 후덥지근한 밤이었다.

달도 예쁘고 비좁은 선실로 돌아가기가 아쉬워서 그만 밤을 새고 말았다. 더위에 못 이겨 한번 자러 들어갔던 사람들마저도 다시 갑판 위로 올라오곤 했지만 하나둘씩 자신의 방으로 들어가더니 어느새 나 혼자만 남겨졌다.

슬슬 자러 들어가려고 시계를 꺼내 보았다. 시계는 새벽 1시를 가리키고 있었다.

나는 자리에서 일어나 하품을 하면서 양팔을 높이 뻗

어 올렸다. 내친김에 조끼 위로 내 몸도 살짝 만져봤다. 출발 이래로 습관이 되어 수시로 확인하고 있다. 중요한 암호를 몸에 숨기고 있으니 임무지에 도착해서 그것을 무사히 넘기기 전까지는 안심할 수가 없다. 따라서 책임은 꽤 무겁고 조금의 방심도 용납되지 않는다. 우리와 같은 사람들의 생활은 여정 중에만 아무런 걱정 없이 편안히 지낼 수 있는데 그 여정 중일 때조차도 이렇게 긴장하고 있어야 한다니 참으로 속상하지 않을 수 없다. 좋아하는 댄스도 못 추고 바(BAR)에 가는 것도 자제해야 한다. 서른이라는 젊은 나이에 이러고 있는 자신의 처지가 갑자기 초라해졌다.

나는 허를 차면서 계단을 내려가다가 문득 뒤돌아보자 아까 식당에서 본 딸이 보호자도 없이 혼자서 달을 바라보며 생각에 잠겨 있었다. 이 야밤에 몸도 편찮은 사람이 그러고 있으니 조금 묘했지만, 발이 떨어지지 않아 한참 동안 그 뒷모습을 바라보고 있었다.

다음 날은 여느 때와 달리 일찍 잠에서 깼다. 어젯밤은 기묘한 꿈을 꿨다. 선실의 둥근 창문 한가운데 50전짜리 은하 정도의 눈이 딱 하나 나타났다. 그 눈은 순식간에 커지면서 창문을 가득 메웠고 이윽고 그 창과 하나의 눈이 되었다. 깜빡거림도 없이 그 커다란 눈동자가 내 얼굴을 뚫어지게 쳐다보고 있었다. 그 딸의 눈과 똑 닮았다. 그런 꿈을 꿀 정도로 마음에 품고 있었다고 생각하니 우스웠다. 실제 그녀의 눈이 나를 바라봐준다면 얼마나 좋을까. 나는 아쉬운 마음으로 창을 봤지만 그곳에는 그녀의 가녀린 그림자조차 없었고, 아침 공기를 마시며 활기차게 산책하고 있는 서양인의 뒷모습이 보였다.

나도 일어나서 바로 갑판 위를 산책했다. 점점 얼굴을 익힌 사람이 생기면서 만날 때마다 서로 인사를 주고받게 되었다. 나는 내심 그 두 사람과 마주치길 바라면서 아침에도 점심에도 식당에 가봤지만 옆자리는 항상 빈자리였고, 꽃 모양처럼 접힌 냅킨이 쓸쓸하게 접시 위에 올려져 있었다. 나는 궁금해서 사무장에게 슬쩍 그들에 대해 물어봤다.

“딸이 아파서 고향으로 돌아가신데요.”

"신분이 어떻게 되는 사람인가요?"

"고귀한 집안 출신이신데 지금은 아무것도 안 하신다는군요. 중국의 갑부래요."

"역시 그랬군요. 일본에 꽤 오래 계셨는지 일본 사람이라고 해도 믿겠어요."

"네, 말도 잘하시고요. 그런데 참 안쓰러워요. 딸이 저리 몸이 약하니 아버지가 항상 붙어 다니면서 기후가 좋은 곳을 찾아 세계 곳곳을 다니신다고 해요."

"대단한 팔자네요."

"돈이 많으신데요, 뭘."

사무장은 부러워하면서 말했다.

저녁 식사 때 조금 늦게 식당에 들어가자 그 두 사람이 자리에 앉아 있었다.

딸은 손을 쓰는 것조차 힘겨워 보였고, 보기만 해도 가슴이 아팠다. 소리도 내지 않고 조용히 식사를 하고 있었다. 식사 내내 눈을 내리깔고 있어 얼굴을 드는 일이 거의 없었다. 기다란 속눈썹은 볼 위에 그림자를 드리우고 있었다. 아름다운 미모에 마음속으로 감탄했다.

나는 딸 쪽만 유심히 보고 아버지 쪽에는 전혀 주의를 기울이지 않았는데 문득 보니 아무래도 요상한 버릇이 있는 것 같았다. 일종의 신경 경련이라고나 할까, 테이블의 물건을 집으려고 손을 뻗을 때 그의 손이 그 물건을 잡기 전에 공중에 영문과 같은 것을 그리는 것이었다. 처음에는 누군가에게 신호를 보내고 있는 줄 알았다. 하지만 그게 아닌 모양이었다. 왜냐하면 소스 병을 집을 때도, 소금을 집을 때도, 후추와 과일을 집을 때도 시도 때도 없이 하기 때문이다. 하도 정신 사납게 계속해서 보고만 있어도 짜증이 났다. 요상한 버릇이라고 생각하면서 계속 보고 있었더니 나까지 전염되어서 손을 움직이게 된다. 아무래도 굉장히 거슬린다. 얼굴을 피하고 보지 않으려 해도 자꾸만 눈길이 간다. 나는 급히 식사를 마치고는 재빨리 식당을 나와 버렸다.

그리고 또 하나 궁금한 것은, 식사 중임에도 불구하고 딸이 왼손에만 장갑을 끼고 있다는 사실이다. 순백색의 그야말로 티 하나 없이 새하얀 장갑인데 왠지 모르게 그것이 묘하게 신경이 쓰였다.

요물의 눈동자

내일이면 배가 항구에 도착하는 마지막 밤이었다.

배가 도착하기 전날 밤은 잠을 잘 이루지 못했다. 이것은 내 버릇이었다. 새로운 임무지에 가는 것은 설렘도 있지만 동시에 불안도 있다. 부임하기 전에 장관이나 동료들에 대해 사전 조사를 해서 미리 정보를 얻는데, 그렇게 해도 실패해서 꽤나 고생할 때가 있다. 갑판 끝자락에 의자를 가지고 가서 난간에 팔을 걸치고 생각에 잠겨 있는데, 그 딸을 아버지가 부축하면서 둘이서 느릿하게 계단을 올라 갑판 위로 나왔다. 내 옆을 지나가면서 그들이 먼저 말을 건네 왔다.

"좋은 밤입니다. 날씨가 참 덥네요."

"아직 안 주무셨어요?"

두 사람은 발걸음을 멈췄다.

"좀 바람을 쐬려고 나왔어요."

"여기가 바람이 잘 들어요."

"하지만 방해가 되실 텐데요."

몹시 사양하며 난간에 기대고 있어 나는 자리에서 일어나 의자를 딸에게 권했고 의자 두 개를 더 가지고 왔다.

"이런, 송구합니다."

그는 내 호의가 진심으로 고마운 듯 여러 번 머리를 숙이고 난 뒤, 딸의 가녀린 몸을 안아 올려 의자에 앉혔다. 그러고는 마치 변명하듯 말했다.

"이리 몸이 약해서 큰일입니다."

두 사람의 모습을 보고 있자니 안쓰러워졌다. 몸이 아픈 사람을 데리고 여행을 다니는 것은 굉장히 위험해 보인다. 아버지 본인도 신경 경련을 앓고 있지, 딸은 반쯤 죽은 것처럼 아파 보이지 않는가. 나는 보다 못해 물어봤다.

"어디가 편찮으신가요?"

"의사는 심장이 안 좋다고도 하고 간이 안 좋다고도

하는데 결국 어디가 문제인지는 정확히 모른답니다. 고향에 돌아가서 잠시 보양하면 기분 전환도 되고 몸도 좀 좋아지겠죠. 그런데 저는 병이 아니라고 믿고 있어요. 그러니까 말하자면 신경성이죠. 신경에서 오는 거라 생각해요. 어쨌거나 성가신 병이라 골치가 아프답니다."

딸은 아버지의 말을 묵묵히 들으면서, 내 마음을 뒤흔드는 그 아름다운 눈에 쓸쓸한 미소를 띠우고는 나를 가만히 쳐다보고 있었다. 나는 몸이 움츠러드는 것 같았다.

"걱정이 이만저만이 아니시겠어요."

이렇게만 말하고는 겨우 시선에서 벗어나듯 고개를 돌렸다. 참으로 신기한 마력을 가진 눈이다. 나는 마치 끌려가는 듯한 기분이 들었다. 그녀가 그런 눈으로 쳐다보면 아무리 위험하고 무서운 명령이라도 거절할 수 없을지도 모른다. 생각해보니 조금 섬뜩하기도 했다.

"어쩔 수 없다는 건 알지만, 이 신경이라는 게 가장 골치가 아파서요."

그는 걸핏하면 신경 타령이다. 그런데 두 사람 모두

신경 때문에 시달리고 있다니 우스웠다. 특히 식당에서 아버지가 공중에 영문 같은 걸 그리는 게 무언가 의미가 있어 보여서 물어봤다.

"유전이 아닐까요? 아버님도 신경이 예민한 면이 있으시던데."

그는 웃으며 말했다.

"저 말입니까? 저는 지극히 태평한 사람이에요. 오히려 무신경에 가까울 정도죠."

그의 말에 나는 마음속으로 비웃었다. 그는 내 속을 바로 알아차렸는지 갑자기 생각이 떠오른 것처럼 말을 바꿨다.

"아아, 당신은 제가 무언가 물건을 잡으려고 할 때 이상한 손짓을 하니까 그것을 말씀하시는군요. 하지만 그것은 신경 경련이 아니랍니다. 어떤 무서운 감동의 결과 그렇게 된 것입니다."

"무서운 감동이요? 무슨 일이 있으셨나요?"

나는 호기심에서 무심코 눈을 반짝였다.

떨리는 손

그는 낮은 어조로 말했다.

"딸은 어릴 적부터 심장이 약했던 탓인지 가끔 발작을 일으켜서, 이러다 언젠가 상상하기도 싫은 무서운 일이 돌연 일어날까 봐 항상 불안에 싸여 있었습니다.

그런데 어느 날 딸이 정원을 산책하다가 발에 돌이 걸려 넘어지면서 숨이 멎어버렸습니다. 의사는 물론 죽었다고 하고, 실제로도 정말 죽어 있었습니다. 저희는 장례를 치르는 동안 딸 곁을 지켰고, 제 손으로 직접 딸을 관 속에 넣어줬습니다. 그리고 조상 대대로 내려오는 묘지에 묻어주었습니다. 그 무덤은, 저희가 사는 중국 쑤저우의 외진 밭 한가운데 있었습니다.

딸을 관에 넣을 때 저는 딸이 생전에 즐겨 입었던 순

백의 드레스를 입혀주었습니다. 그 옷은 제가 런던에 있었을 때 딸을 처음 사교계에 내보낼 때 거금을 들여 만든 기념품이었습니다. 그리고 딸에게 사준 보석, 목걸이, 팔찌, 반지, 특히 반지는 열 손가락에 다 끼고도 남을 정도로 많이 있었는데 모두 딸에게 끼워주고 묻어 주었습니다. 참 어리석은 아버지죠."

그는 탄식하듯이 내 얼굴을 보고 말을 끊었다. 나는 그녀를 눈으로 가리키면서 물었다.

"그분은 따님의 언니인가요?"

"제 이야기를 끝까지 들어보시죠. 장례를 치르고 나서 집에 돌아온 제가 그때 어떤 심정이었는지 당신은 아마 상상도 못 하실 겁니다. 아내는 딸이 어릴 때 세상을 떠났기 때문에 저는 아내 몫까지 딸을 예뻐하며 키웠습니다. 그리고 엄마 없이 자란 딸은 저만을 의지했고, 저 또한 딸 이외에 가깝게 지내는 사람은 없었습니다. 그러니까 딸을 제 목숨보다 소중히 아꼈다는 것을 이제 충분히 아셨을 겁니다. 그 아비와 딸이 서로 다른 세상에서 살아야 한다는 사실에 얼마나 깊이 애통했는지, 저도 딸과 함께 관 속에 들어가고 싶었습니다. 아니, 제가 죽고 딸이 살았으면 했습니다. 저는 정말로 외톨이가 되어버린 것입니다. 거의 미치광이처럼 혼이 나간 채 집으로 돌아갔습니다.

팔걸이의자에 쓰러져 눕고는, 생각할 힘도, 움직일 힘도, 볼 힘도 없이 텅 빈 껍데기처럼 있었습니다. 집 안에 관이 있는 동안은 그나마 괜찮았습니다. 그 안에 딸이 잠들어 있었으니까요. 하지만 이제 그 관조차 없는 것입니다. 집 안에서 갑자기 인기척이 사라진 것만 같았습니다.

그때 딸을 관에 안치하거나 마지막 잠을 장식하는 데 충실하게 도와준 황량이라는 집사가 소리 없이 들어왔습니다.

"주인어른, 뭐라도 드시지 않겠습니까?"

저는 대답하지 않았습니다. 그 상황에 밥이 어떻게 넘어가겠습니까. 저는 말없이 고개를 흔들어 보였습니다.

"주인어른 그러시면 안 됩니다. 건강에 해롭습니다. 그럼 침대에 눕혀드릴까요? 누워서 조금 쉬시지요."

황량의 친절한 배려임을 알면서도 듣기 싫어 조금 짜증을 내면서 소리를 질러버렸습니다.

"나 좀 내버려둬! 제발 가만히 좀 두란 말이다!"

아예 눈을 감아버렸습니다. 그런데도 충성심 강한 황량은 좀처럼 제 곁을 떠나려 하지 않고 방에서 머뭇거리고 있었지만 저는 더 이상 상대도 하지 않고 등을 돌려버렸습니다. 그러자 황량도 마지못해 방에서 나갔습니다.

그 후 시간이 얼마나 지났는지 모릅니다. 그날 밤은 추운 밤이었는데 난로의 불은 완전히 꺼져 있고, 얼음을 나르는 듯한 겨울 찬바람이 으슥하게 창에 부딪치고 있었습니다.

저는 잠들어 있지 않았습니다. 상심과 절망으로 몸에서 힘이 빠져 눈은 떠 있지만 신경은 마비되어 다리를 축 늘어뜨린 채 시간 가는 줄도 몰랐던 것입니다.

갑자기 현관의 초인종이 요란하게 울려 묘지와 같이 쓸쓸하고 횅한 집 안에 울려 퍼졌습니다. 깜짝 놀라서 큰 시계를 올려다보자 새벽 2시였습니다. 이런 야밤에 누가 찾아왔을까 생각하며 무거운 몸을 일으켰습니다."

거기까지 말했을 때, 옆에 있던 딸이 힘없는 목소리로 아버지에게 속삭였다.

"응? 방에 들어가고 싶다고?"

고개를 갸웃거리며 딸에게 말하면서, 이번에는 나를 보며 변명하듯이 말했다.

"바닷바람으로 몸이 축축해졌으니 이제 방으로 들어가고 싶다고 하네요."

이제 이야기가 흥미진진해지려던 참에 끝내야 하는 것도 아쉽지만, 그것보다 모처럼 그녀 곁에서 기분 좋게 있었는데 그 말이 참 모질게 느껴졌다. 이대로 방에 돌아가 버리면, 그리고 내일 배가 항구에 도착하면 서로 이별해야 한다. 두 번 다시 만날 기회가 없을지도 모르는데 말이다. 나는 조금 서운한 감정이 들면서 헤어지고 싶지 않았다. 어떻게든 붙잡고 싶어 노심초사하다가 그만 바보 같은 소리를 하고 말았다.

"들어가서 쉬시겠습니까? 시간이 많이 늦었네요."

나는 나를 쓰러뜨리고 싶었다. 무슨 말을 한 것인가.

마음과 반대의 소리를 하고 있다. 멍청한 녀석! 시간이 늦었으니 쉬겠다고 하면 이제 끝이지 않는가. 나는 왜 그런 바보 같은 소리를 하고 만 것일까. 나는 자신을 원망하면서 아랫입술을 깨물자, 상대방 쪽에서는 이야기 도중에 그런 이기적인 소리를 해서 기분을 헤쳤다고 오해했는지 이렇게 말했다.

"아니요, 쉬려는 게 아닙니다. 그저 딸이 밤을 무서워해서요. 워낙 몸이 약하지 않습니까. 자꾸 제멋대로 굴어서 죄송합니다. 괜찮으시면 저희 방에 놀러 오지 않겠습니까? 뒷이야기를 들려드리지요."

그들의 방이 어디 있는지 모르지만 내 방이 더 가까워서 내 방으로 초대했다.

"괜찮으시면 제 방에 오시지요. 방은 이 계단을 내려가면 바로 오른쪽 모서리에 있습니다."

처음에는 그녀가 내켜하지 않는 모습이었지만, 내가 집요하게 권하자 드디어 두 사람 모두 오기로 했다.

그녀에게는 푹신한 소파를 권하고, 그녀의 아버지와는 의자에 마주 보고 앉았다. 무언가 음식을 대접하려고 시계를 보자 벌써 12시를 지나 있었다. 웨이터를 부르기에는 시간이 너무 늦었고, 게다가 혼자가 아니더라도 이 시간에 내 방에 여자 손님이 와 있었다는 것이 알려지면 곤란하다. 어떻게 할지 고민하고 있자 내 마음을 눈치챈 그가 재빨리 방에서 나와 양손에 위스키 병과 초콜릿 상자 등을 들고 들어왔다.

그녀는 잔에 위스키를 따라 아버지에게 먼저 마셔보게 한 뒤 내게도 따라 주었다.

“자, 이제 뒷이야기를 들려주시지요.”

나는 위스키 잔을 핥듯이 살짝 입술을 대고 말했다.

“하나 드시겠어요?”

그녀는 초콜릿 상자를 내밀면서 권했다. 나는 가까이 있는 것을 하나 집어서 입에 넣었다.

흰 장갑

그는 위스키를 들이마신 뒤에 뒷이야기를 하기 시작했다.

"초인종이 다시 요란하게 울렸습니다. 하인들은 아무도 일어날 낌새를 보이지 않았습니다. 어쩔 수 없이 제가 직접 램프에 불을 붙여 그것을 들고 계단을 내려갔습니다. 그리고 현관에 서서 누구인지 물어보려 했지만 어쩐지 으스스했습니다. 나약한 자신에게 화가 나기도 하고 한심하기도 해서 용기를 내어 조용히 손잡이를 돌렸습니다. 하지만 제 심장은 요동치고 있었고 무서워서 도저히 문을 당기지 못했습니다.

저는 크게 결심하고 문을 살짝 열자 베란다 그늘에 하얀 물체가 보였습니다. 저는 몸이 굳어 움직일 수가 없었습니다.

'누, 누구세요?'

'아버지, 저예요.'

딸의 목소리가 아니겠습니까. 놀란 나머지 한 발짝 뒤로 물러섰습니다.

'저라고요, 아버지.'

저는 제가 드디어 미쳤다고 생각하면서 스윽 들어온 하얀 물체에 쫓기듯 조금씩 뒷걸음치기 시작했습니다. 그것을 내쫓으려고, 어제 식사 도중에 보셨던 그 공중에 글자를 그리는 듯한 이상한 손짓을 한 것입니다. 그러자 하얀 물체가 말했습니다.

'무서워 마세요. 저는 살아 있었어요. 죽지 않았다고요. 누군가가 반지를 훔치려고 제 손가락을 잘랐을 때 피가 흘러서 그 통증으로 깨어난 거예요.'

딸의 손에서는 피가 뚝뚝 떨어지고 있었고, 하얀 드레스는 피로 새빨갛게 물들어 있었습니다.

저는 숨이 막혔습니다. 꿈인지 생시인지 알 수가 없었습니다, 귀신이든 뭐든 딸의 형태를 하고 있으니 너무 기뻐서 허겁지겁 그 손을 잡았습니다. 그 손은 마치 죽은 사람처럼 차가웠습니다.

저는 딸을 안아 들고는 제 방으로 데리고 갔습니다. 팔걸이의자에 앉히자마자 바로 상처를 치료해줬습니다. 그러고 난 뒤 딸의 창백한 얼굴을 지그시 봤습니다. 귀신이 아니었습니다. 그것은 분명히 딸이었습니다. 저는 갑자기 가슴이 벅차올라서 미친 듯이 딸의 무릎에 머리를 박고는 목메어 울었습니다.

이윽고 조금 진정이 되자, 방 안이 너무 차서 춥다는 사실을 깨달았습니다. 서둘러 난로에 불을 피웠습니다. 뭔가 따뜻한 음식이라도 먹이고 싶어서 벨을 요란하게 흔들며 황량을 불렀습니다.

황량은 잽싸게 달려왔지만, 딸의 모습을 보고는 주저앉아 버렸습니다. 죽은 줄 알았던 사람이 눈앞에 있으니 그야 누구라도 놀랄 만하지만, 황량이 보인 반응은 조금 달랐습니다. 겁에 질려 괴성을 지르면서 안절부절못하는가 하면, 갑자기 미친 사람처럼 밖으로 뛰쳐나가 버렸습니다."

나는 그의 이야기를 듣다가 갑자기 졸음이 와서 하품을 삼키면서, 그래도 열심히 눈만은 뜨고 있었다. 그는 계속해서 말을 이었다.

"무덤을 판 것은 집사인 황량이 한 짓이었습니다. 황량은 딸의 손가락을 자르고 반지를 훔치고는 낯짝도 두껍게 집으로 돌아온 것입니다. 제가 황량을 신뢰하고 있어서 자신을 의심할 리 없다고 생각한 모양입니다. 하지만 천벌이었을까요. 황량은 너무 급했던 나머지 다시 파낸 관의 뚜껑에 못을 박지 않고 온 것입니다. 이런, 당신은 지금 자고 계신 건가요?"

그렇게 말하는 목소리를 나는 멀리서 들은 것 같았다.

그 뒤로 아무것도 모르게 되었다.

실신

배가 도착하고 선객은 한 명도 빠짐없이 내렸는데 아직 내가 모습을 보이지 않고 방에는 열쇠가 잠겨 있으니, 마중 나와 있던 내 동료들이 걱정하기 시작했다. 사무장에게 부탁해서 스페어 키로 열어보자 방 안은 조금도 어지럽혀 있지 않지만 가장 중요한 내 모습이 보이지 않았다. 그래서 선원들이 단합해서 배 안을 구석구석 찾아봤지만 역시 없었다. 물론 내 짐도 그대로 배에 남아 있었다. 혹시나 살해당한 것은 아닐까, 살해당해서 바닷속에 내던져졌을지도 모른다는 이야기가 나오면서 갑자기 난리가 났다.

이윽고 선원 한 명이 배 바닥과 가까운 창고 방에서 나를 찾아냈다.

나는 그곳에서 담요에 둘러싸여 죽은 듯이 잠들어 있었다.

흔들어 깨워도 좀처럼 눈을 뜨지 못했다. 하지만 이윽고 선원들과 마중 나온 동료들의 얼굴이 점점 또렷하게 보이기 시작하면서 의식을 되찾자, 서둘러 몸통에 손을 갖다 댔다. 그러고는 아연했다.

나는 모두가 말리는데도 듣지 않고 벌떡 일어나 창고방을 나왔지만, 내 방이 어디에 있었는지도 기억하지 못했다.

나는 웨이터에게 안내를 받고 내 방에 들어가자 서둘러 안에서 열쇠를 걸었다.

옷을 벗고 전대를 풀어서 다시 봤지만 소중한 암호는 어디에도 없었다. 큰일이다. 얼굴이 달아올라 온몸의 피가 머리로 솟구치는 것만 같았다.

현기증이 나서 쓰러질 뻔했지만, 끝내 진정을 되찾고 냉정해지자 어젯밤 일들이 하나둘씩 머릿속에 떠오르기 시작했다.

위스키를 마셨다. 초콜릿을 먹었다. 아버지의 이야기

를 들으면서 졸음이 왔는데……. 그 뒤에 일어난 일이 도저히 기억나지 않는다.

하지만 왜 나를 창고 방까지 옮긴 것일까. 암호를 훔치는 것만이 목적이라면 그런 번거로운 짓을 하지 않아도 죽여버리면 그만이지 않는가. 또 죽이지는 않더라도 의식이 없는 상태이니 암호를 훔치는 것쯤이야 아무것도 아니다. 굳이 먼 배 바닥 가까이까지 데리고 간 이유는 무엇일까. 여기까지 생각했을 때 처음으로 그들의 용의주도한 계획을 깨달았다.

승객이 모두 배에서 내리고 내가 없어졌다는 사실을 알고 선원들이 발견하기까지는 상당한 시간이 걸릴 테니 그들은 그 시간이 필요했던 것이다. 그동안 충분히 어떤 목적을 달성할 수 있다. 그러기 위해서는 쉽게 발견하지 못하는 창고 방과 같은 곳을 선택할 필요가 있었을 테지만 나로서는 오히려 살해를 당하는 편이 나았다. 이 중대한 과실을 한 나는 어떻게 하면 좋을까. 그렇게 생각하니 전혀 살아 있는 듯한 느낌이 들지 않았다. 하지만 한시라도 빨리 알려야 된다. 꾸물거리고 있을 때가 아니므로 비상한 결심을 하고 일어나 바지 속에 손을 넣어 손수건을 꺼내려 한 순간 종잇조각이 떨어졌다. 작게 접혀 있었지만 신경이 쓰여 집어서 펼쳐 봤다.

당신은 예전에 『트완느 속에 있는 치크』라는 소설을 읽어보신 적이 있나요?
당신의 흥미를 끈 이야기는 물론 저희가 겪은 이야기가 아닙니다.
남편은 어떤 사람에게 보내는 암호 통신 이외에 공중에 영문을 그릴 필요도 없고, 따라서 아내의 흰 장갑 속에 있는 다섯 손가락도 무사히 다 달려 있습니다.
애국심이 불타는 우리가 어떤 목적을 위해서 위험을 저지르는 경우에 하는 일막극은 목숨을 걸고 하는 연기이니 구경꾼이 혼을 빼앗길 만합니다. 게다가 당신의 경우에는 약까지 먹었으니까요. 아마 죄가 되지는 않을 거라 생각합니다. 그리고 그러길 바랍니다. 잠깐이었지만 우리는 서로 좋은 친구였으니까요.

허락 없이 빌린 암호는 되도록 빨리 돌려드리도록 하겠습니다. 그때까지 당신이 지금 이대로 조용히 잠들어 있기를 바라면서.

여기까지 읽자 나는 그 종잇조각을 갈기갈기 찢어 마룻바닥에 던진 뒤 문을 열고 밖으로 나왔다.

"오래 기다리셨습니다. 자, 함께 가시지요."

동료들과 같이 부두에 내려 그곳에 대기해둔 자동차를 탔다.

(1934년 9월)

마성의 여자

1

회사를 나왔을 때는 모모코에게도 일행이 있었기 때문에 혼조와는 다른 전철을 탔지만, S역에 내리니 그가 먼저 도착해서 기다리고 있었다.

두 사람은 팔짱을 끼고 땅거미가 진 거리를 200~300미터 정도 걸어 불에 타지 않고 남은 고급 주택가의 큰 문 앞에서 걸음을 멈췄다.

모모코는 눈을 동그랗게 뜨고 문 위로 자란 소나무 가지를 올려다보며 물었다.

"자기야, 여기야?"

"그래, 멋지지? 회사에 출퇴근하면서 매일 이 앞을 지나가는데, 그때마다 멋진 집이라고 생각했어. 그래서 오늘 아침에 회사 가기 전에 들러서 방을 둘러봤거든.

다실이 따로 마련되어 있는데 정말 멋져. 몰락한 화족이 부업으로 하는 료칸 겸 휴식 공간이야. 여기라면 회사 사람들한테 절대 안 들킬 거야."

"그런데 나는……."

모모코가 머뭇거리며 말했다.

"당신 집이랑 별로 멀지 않잖아. 이렇게 가까운 거리에……. 회사 사람들보다도 부인이 알면 어쩌려고 그래?"

"등잔 밑이 어둡다고 하잖아. 멀리 가면 오히려 들통나기 쉬워. 여기라면 아내라도, 아니 부처님이라도 모를 거야."

혼조가 너무 당당하게 말하는 탓에 모모코가 기가 죽어 들어가길 망설이고 있으니 손님의 기척을 듣고 안에서 신참으로 보이는 여성 종업원이 나왔다. 종업원의 안내를 받아 질이 좋기로 유명한 다마가와강의 자갈을 밟고 오른쪽 문을 통해 정원에 있는 다실로 향했다.

풍취 있게 꾸민 방을 신기하게 쳐다보고 있으니 뜰에서 신는 나막신 소리를 일부러 크게 내며 조금 전의 종업원이 술주전자와 맥주 그리고 안주를 조금 가지고 왔다.

"혹시 필요하신 게 있으면 여기 벨을 눌러주세요."

혼조가 앉은 자리 옆쪽 벽에 벨이 있었다. 종업원이 나가고 모모코는 술주전자를 들어 혼조의 술잔에 따라 주고 자신은 맥주를 마셨다.

"설마 당신 부인이 당신과 나 사이를 아는 건 아니겠지?"

"아마도. 모모코가 내 병문안을 왔다 가고 이상하게 계속 칭찬을 했으니까, 아는 걸까?"

"알면 안 돼?"

모모코가 눈웃음을 쳤다.

"곤란하지. 근데 어쩔 수 없어. 당신과는 무슨 일이 있어도 못 헤어지니까."

"근데 당신 부인은 절대 질투를 안 하는 사람이잖아?"

"응. 그런데 차라리 질투를 하는 게 나을 거 같아. 말도 안 하고 가만히 지켜보기만 하면 괴롭지."

무언가가 생각난 건지 혼조는 살짝 울 것 같은 표정을 지었다. 취기가 돌면서 뽀얗고 고상한 얼굴이 살짝 불그스름해졌고 술 때문에 촉촉해진 눈은 아름다워 보였다. 모모코는 컵을 입술로 가져가면서 홀딱 반한 표정으로 그의 얼굴을 넋을 놓고 쳐다봤다.

"나는 당신이 너무 좋으니까 당신 부인이 화를 내도 당신이 나를 버리지 않는 한 절대로 당신과 헤어지지 않을 거야."

"아내도 너와 나 사이까지는 알아채지 못했을 거야. 그런데 그 사람은 항상 조용히 나의 일거수일투족을 감시하고 있어. 그리고 내 일이라면 하나부터 열까지 전부 알려고 해. 알지 못하면 만족을 못하는 거야. 좋은 일이든, 나쁜 일이든. 그러니까 변태란 말이야."

"당신 부인은 분명 당신을 너무 사랑하는 거야. 나 같은 건 상대가 안 될지도 몰라. 그런 대단한 애정 앞에서는 저절로 머리가 숙여져."

"난 싫어. 정말 싫어. 아니, 생각을 좀 해봐. 이것도 저것도 전부 알고 있으면서 아무것도 모른다는 얼굴을 하고 있다니까. 정말 싫어."

혼조는 담배를 재떨이에 비벼서 껐다.

"정말 사랑한다면 상대방의 모든 것을 알고 싶어 하는 건 당연한 거야. 그런데 나는 우리가 떨어져 있을 때 당신이 뭘 하는지 몰라. 당연히 알고 싶긴 하지만…….”

“물어보면 되잖아.”

“물어봐도 숨기면 그만이잖아. 당신도 나에게 말하고 싶지 않은 일이 있을 테니까. 그게 질투심을 불러일으키는 원인이 된다는 것도 알고 있어. 그러니까 당신 부인처럼 뭐든 다 알 수 있다면 절대 질투 같은 건 하지 않을 것 같아.”

“그럴까.”

“한번 생각을 해봐. 당신이랑 이렇게 있어도 나는 당신의 애정이 얼마나 깊은지 알 수 없어. 당신의 말과 태도로 상상할 뿐이지. 그런데 당신 부인은 당신 마음의 깊고 깊은 곳까지 꿰뚫어 볼 수 있으니까, 자신이 우월한 위치에 있는 동안은 걱정할 필요가 없겠지. 당신에게 여자가 생겨도 아무렇지 않을지도 몰라. 자기가 우위에 있는 입장이니까. 사랑을 받는다는 확신이 있으니까.”

“애정을 나누어 가지면 불쾌하잖아. 전부 자기 걸로 만들고 싶다고 생각하지 않나?”

“나는 당신의 육체도 정신도 독점하고 있다고 생각하

는데, 실제로는 그럴까? 부인이 질투를 하지 않는 걸 보면 아닌 것 같기도 해.”

“아내는 말이야. 나를 쇠사슬로 묶어두고 적당히 놀게 해주는 거야. 키우는 개 정도로 생각하는 거지. 소름끼치는 사람이야.”

혼조는 토해내듯 말했다.

“근데 신혼 때는 부인이 꽤 도움이 된다고 말하지 않았어?”

“그거야 도움이 됐지. 그 사람이 가진 제7감의 신비 덕분에 말이지. 그 덕에 위험도 피했고, 상사들도 좋게 봐서 쭉쭉 출세도 했으니까. 정말 편리했는데 지금은 그 ‘감’이 귀찮아졌어. 뭐든 다 알고 있는 건 그 제7감이 너무 발달해서 그래. 그리고 최근에는 점점 더 날카로워졌다니까. 이대로 계속 가면 나는 괴로워서 같이 살 수 없을 거 같아. 결국 미쳐버리겠지.”

“당신을 미치게 만들 정도의 열정, 나는 부러워, 자기 부인이…….”

“무슨 말을 하는 거야! 당신이 없으면 난 살 수 없어.

아내밖에 없었다면 난 진작 자살했을 거야."

"나에게는 제7감은커녕 제6감도 없어. 지극히 평범해서 아무것도 모르니까 그게 당신에게는 부담스럽지도 않고 편해서 좋은 거지?"

"당신이랑 이렇게 있을 때가 유일하게 나에게는 천국이야."

혼조는 갑자기 일어나 잠시 곁방을 들여다봤다. 옥색 덮개가 덮인 시원해 보이는 스탠드가 머리맡에 켜져 있고, 하얀 삼베 모기장 너머로 주홍색이 들어간 이불이 요염해 보였다. 그는 맹장지문을 꽉 닫고 모모코의 옆으로 다가가 어깨에 손을 올리고 가까이 끌어당겨 "자기야, 내 전부는 당신 거야"라고 말했다.

컵을 들고 있던 모모코의 손이 바들바들 떨렸다.

"안 되겠어. 맥주가 흐를 것 같아."

모모코는 마시다 만 컵을 혼조의 입으로 가져갔다.

2

집을 나올 때 오늘은 회식이 있으니 조금 늦을지도 모른다고 말해두었기 때문에 12시 가까이 되어서 들어갔지만 아내 야스코가 특별히 수상하게 생각하는 것 같지 않아 내심 안심이 되어 굳이 하지 않아도 될 말까지 가볍게 계속 떠들었다.

"회비 문제도 있지만 술이 맛이 없어. 역시 맛있는 건 집에서 먹는 저녁 반주지."

야스코는 흘끗 곁눈으로 그의 얼굴을 쳐다봤다. 5세나 연상인 그녀는 항상 두꺼운 화장에 화려한 옷차림을 하고 그와 잘 어울리는지 신경을 쓰는 듯했다.

"그런 입에 발린 말로 술을 더 달라고 해도 소용없어. 꽤 많이 마신 거 같으니까. 독이야."

야스코는 이렇게 말하면서도 그를 위해 준비해둔 배급받은 맥주를 땄다.

야스코는 벽시계를 보고 "아니, 벌써 1시네. 내일은 일요일이니까 푹 자도록 해. 그동안 나는 연구소에 심령 수행을 하러 갈 거야. 당신이 일어나기 전에는 돌아올게."

혼조는 언짢은 표정을 지으며 말했다.

"적당히 좀 해. 수행, 수행, 뭐야! 도대체 어쩔 셈이야? 더 이상 '감'이 발달하면 난 더 못 견딜 거 같아."

"아니, 나에게는 훌륭한 영적 능력이 있다니까. 계속 수행해서 갈고닦지 않으면 손해야. 그리고 당신이 직장이라도 그만두게 되면 내가 영매가 돼서 큰돈을 벌어 편하게 놀게 해줄게."

"아니, 재수 없는 소리. 내가 서른둘인데 지금 회사에서 잘리다니. 이제 시작인데."

"네, 네, 미안해요. 피곤할 텐데 괜한 소리를 해서. 기분 나빴다면 미안해. 나는 먼저 잘 테니까 아까 술자리의 계속이라고 생각하고 더 마시다 자."

야스코는 문을 탁 닫고 나갔다. '술자리의 계속이라고 생각하고……', 이 말이 머릿속에 남아 신경이 쓰였다.

"피곤할 텐데, 라니. 잘도 지껄이네."

혼조는 낮은 목소리로 중얼거리며 맹장지문 너머로 그녀를 노려봤다.

두 병밖에 남지 않은 맥주를 깨끗이 비우고 바닥에 누워 잔 것이 몇 시인지는 잘 모르겠지만, 눈을 떴을 때 야스코는 없었다. 집을 나간 지 꽤 오래된 걸로 보였다. 거실 탁상에 차려진 아침 식사 위에 하얀 레이스 밥상보가 덮여 있었지만, 오늘 아침 만든 밥은 완전히 식어 있었고 된장국도 물 같았다. 아침 식사를 끝내고 차를 마시면서 아무 생각 없이 아내의 책상 위를 보니 항상 깨끗하게 정리되어 있던 책상에 오늘은 가계부도 꺼내져 있고 일기장 위에 만년필도 굴러다니고 있었다.

"아니, 저 인간, 일기 같은 걸 쓰네. 주제넘게……."

혼조는 야스코가 어떤 내용을 썼는지 몰래 봐야겠다고 생각했다.

"마누라 일기 같은 건 보통 시시하지. 집안 살림이 어렵다는 푸념이나 남편에 대한 불평이겠지, 뭐."

냉소를 머금고 2~3장을 훌훌 넘기다가 마지막 페이지에서 눈이 멈췄다. 혼조는 깜짝 놀랐다.

9월 10일 토요일

최근 오쿠다 자작의 집에서 무허가로 료칸을 개업했다고 한다. 오늘 밀회에는 안성맞춤인 장소니까 그녀도 틀림없이 만족할 거라 생각해 밖에 나간 김에 좀 알아보니 가격도 비교적 저렴하다. 방도 마음에 들고 아내에게도 회식이라고 거짓말을 했기 때문에 귀가 시간 걱정도 없이 모든 것이 순조롭게 진행된다. 회사에서 돌아오는 길, 그녀와 동행한다.

그녀는 아내가 '응시'하고 있을까 봐 두려워하기 때문에 나는 최선을 다해 아내에 대해 심한 욕을 하며 그녀를 달랜다. 우리 둘은 영원히 헤어지지 않는다는 맹세를 하고 그녀를 역까지 바래다주고 집으로 돌아간다. 12시 15분 전이다.

혼조는 머리를 쥐어뜯었다. 이 인간, 뭐든 다 알고 있다. 이건 아내의 일기가 아니라 아내가 쓴 혼조 자신의 일기가 아닌가? 바보 취급을 하다니.

그런데 어젯밤의 일도 벌써 알고 있다는 것은 정말 놀라웠다. 그래 놓고는 아무것도 모른다는 얼굴을 하고 있다니 아주 악랄한 여자다.

"이 요물, 마성의 여자!"

혼조는 일기를 내동댕이쳤다.

하지만 역시 신경이 쓰여 다시 주워서 첫 부분을 읽었다.

8월 6일 토요일

연상의 여자의 무서운 열정은 나조차도 질리게 만든다. 원래 다른 남자의 아내였던 그녀가 남편과 사회적 지위를 버리고 내 품에 안겼다. 그런데 이제 와서 내가 유혹한 것처럼 말한다면 난처하기 짝이 없는 일이다.

결국 내가 그녀의 불타는 사랑에 넘어가 결혼까지 하게 되었지만, 사실 야스코의 제6감, 아니 제7감이라고 하는 것이 처음에는 굉장히 편리했다.

곧 회사에서 인원 감축이 있을 테니까 주의하라고 말하면 4~5일 이내에 반드시 잘리는 녀석이 나왔다.

또 하루는 출근 시간을 조금 늦추지 않으면 전철 사고 때문에 위험하다고 말했다. 말도 안 된다고 생각하면서도 조금 늦게 집에서 나오면 앞 전철이 탈선해서 다친 사람이 나왔다고 웅성거리는 등 우리의 제6감과는 전혀 다른 제7감의 신비를 가지고 있었다.

누군가가 그녀에게 영적 능력이 뛰어나니 그것을 갈고닦으면 무엇이든 꿰뚫어 볼 수 있는 비범한 사람이 된다고 말했다. 이렇게 부추기는 바람에 그녀는 열심히 심령 연구인가 뭔가 하는 것을 시작했다. 사실 속으로는 자기와 떨어져 있는 동안 나의 행동을 보고 싶은 욕망 때문에 연구를 시작한 것이다. 그녀의 본심을 기탄없이 말하면 혼조 슌이라는 남자, 그러니까 나를 전부 독점하고 나의 행동을 하나부터 열까지 다 알려고 하는 것이다. 최근에는 그냥 아는 것만으로는 만족하지 못한다. 내 몸을 머리끝부터 발끝까지, 아니 가능하다면 피부를 찢어 내장을 꺼내 심장까지 살펴보려고 하는 욕망에 불타고 있다. 하지만 나를 죽여버릴 수는 없다. 나를 죽이는 것은 그녀 자신도 죽이는 결과가 될 테니까. 그래서 무슨 일이 있어도 영적 능력이 필요한 것이다. 영적인 힘으로 내 본심을 알아내려고 하는 것이다. 그리고 항상 '응시'하는 눈을 게을리하지 않는다.

혼조는 일기장을 탁 닫고 자리에서 일어섰다.

"자기 마음대로 무슨. 심령이 뭐야. 영적인 힘이 뭐냐고. 바보같이!"

혼조는 정원에 침을 퉤 뱉었다.

"다녀왔어."

언제 돌아온 건지 야스코가 뒤에 서 있었다.

"일기를 읽고 화가 난 거야?"

야스코가 방긋 웃었다.

혼조는 화가 치밀어 고개를 돌렸다.

"창피하지? 내가 뭐든 다 알고 있어서? 오호호, 그런데 당신이 밖에서 뭘 하든 나는 하나도 화 안 나. 당신

눈에는 보이지 않지만 항상 내 영혼이 당신을 따라다니며 지켜보고 있으니까 난 뭐든지 알고 있어. 그리고 어떤 여자가 생겨도 결국은 나를 가장 사랑해서 내 곁으로 돌아올 거라는 걸 알고 있으니까 질투도 안 나. 오호호, 귀여우니까 당신의 도락도 너그럽게 봐주는 거야."

"쓸데없는 참견이야. 내 몸은 내 거야. 당신 허락이 없어도 내가 알아서 자유롭게 행동해. 일일이 이렇다 저렇다 잘못된 추측을 해대는 건 정말 질색이야. 일단 너무 불쾌해. 당신은 자신의 엉터리 상상을 믿고 있지만, 실제로는 내가 밖에서 무슨 짓을 하는지 알 리가 없잖아. 무책임한 창작 일기를 쓰다니, 사람을 모욕하는 것도 정도가 있어. 아주 괘씸하기 짝이 없네. 일단 그 생각이 마음에 안 든단 말이야. 한 남자를 완전히 자유롭게 해준다니, 건방진 것도 정도껏 해야지. 어쨌든 거기에 쓰인 일기는 전부 거짓말과 엉터리로 꾸며낸 나에 대한 악담이야. 나를 그런 인간이라고 생각하고 경멸하는 사람이랑 더 이상 같이 못 살겠어."

"또 헤어지자고 하는 거야?"

"당연하잖아. 나는 인간은 좋아하지만 당신 같은 괴물은 정말 싫으니까."

"그렇게 심한 말을……. 당신과 헤어지면 난 죽을 거야. 내가 죽으면 내 영혼이 바로 당신의 몸으로 들어가 당신의 영혼과 합쳐서 영원히 떨어지지 않을 거야."

혼조는 몸서리를 쳤다.

"그렇게 내가 싫어졌어? 이제 곧 술집에서 전화가 왔다고 알려주러 올 테니까 조금만 참아. 그리고 기분 전환으로 모모코 씨랑 만나고 기분 좋게 돌아와."

"무슨 말을 하는 거야! 모모코라는 여자, 난 몰라."

"잊어버렸어? 아팠을 때 병문안을 온 타이피스트 말이야."

혼조가 다른 곳을 보며 외면하고 있으니 야스코의 말 그대로 술집에서 전화가 왔다고 알려줬다.

혼조는 바로 앞에 있던 정원에서 신는 나막신을 아무렇게나 신고 안절부절못하며 밖으로 나왔다. 전화의 상대방은 모모코였다.

"저 인간, 뭐든 다 알고 있어."

혼조는 너무 분해서 화가 났다.

“일단 갈게. 어젯밤에 갔던 거기, 알지?”

3

혼조는 한 치의 빈틈도 없는 어젯밤의 스마트한 복장과는 반대로 오늘은 일상복 그대로 겉옷도 걸치지 않고 나막신을 신은 채 오쿠다 자작의 휴식 공간으로 갔다. 근처에서 전화를 걸었는지 모모코가 먼저 와서 기다리고 있었다.

그녀의 새파랗게 질린 얼굴을 보고 혼조는 가슴이 덜컥 내려앉았다.

"집에 들킨 거야?"

가장 먼저 마음에 떠오른 말을 했다.

"아니, 아니야. 우리 집이 아니라 당신 부인이 안 거 아니야? 나 이제 어떡하지."

모모코가 불안에 떨며 말했다.

"그걸 당신이 어떻게 알아?"

"오늘 아침에 당신 부인이 사람을 보내서 만났어."

"어디서?"

"심령연구소인가 뭔가 하는 곳의 응접실에서. 어쩐지 기분이 나쁘더라. 내 눈을 똑바로 쳐다보면서 복도를 걸어가는 여자에다가 내 얼굴을 쏘아보는 것 같은 사람들이 우글우글한 거야. 몸이 완전 굳어버렸어. 당신 부인도 집에서 봤을 때는 친절한 얼굴을 하고 있었는데, 오늘 아침에는 심각한 표정으로 내 마음을 꿰뚫어 보는 것 같은 눈을 하고 말이야. '혼조를 현혹시키면 나는 용서해도 내 수호령이 용서하지 않을 거예요. 당신 몸이 화를 입게 될 거니까 다시는 어젯밤과 같은 잘못을 저질러서는 안 돼요. 빨리 관계를 끊고 남의 남편은 탐내지 말고 제대로 된 결혼을 하세요'라고 하더라."

"쓸데없는 참견을 하네. 그런 말로 둘 사이가 깨질 리 없잖아."

"그런데 나 그런 생각이 들더라고."

"무슨 생각?"

혼조가 당황해서 물었다.

"무서워. 어젯밤 일을 벌써 다 알고 있다면, 앞으로 뭘 하든 그 사람이 다 아는 거잖아. 나, 흥이 깨져버렸어. 이렇게 말해서 미안하지만, 부인이 감시하는 상태로는 사귈 마음이 생기지 않는걸."

그 부분에는 혼조도 동감했다.

"헤어질게. 나는 야스코와 확실히 헤어질 거야."

혼조는 단호하게 말했다.

지금 이런 이야기를 하고 있는 것도 야스코가 집에서 다 알고 있을지도 모른다. 아니면 그녀의 말로 표현하자면 그녀의 영혼이 그녀의 몸에서 분리되어 자유롭게 돌아다니며 육안으로 보이지는 않지만 이 방의 어딘가에서 지켜보고 있을지도 모른다.

그런 바보 같은 일이 있을 리가 없다고 부정한 다음부터 혼조는 마음이 몸과 따로 노는 것 같은 불안에 휩싸였다.

"나, 당신 부인의 그 무서운 눈이 저 미닫이문의 구멍으로 우리를 보고 있는 건 아닌가 생각하면 마음이 진정이 안 돼."

"말도 안 돼. 당신이 그런 비과학적인 일을 믿을 거라고는 생각도 못 했어. 전부 마음이 어딘가에 홀려서 그래. 야스코의 '감'이 예민한 건 맞지만, 전부 엉터리야. 그게 우연히 맞아서 그런 의심이 들겠지만, 나도 멋대로 상상해서 말하다 보면 어느 정도는 맞출 수 있다니까."

"그런 위로의 말만으로는 안심하기 어려워. 당신 부인은 정말 당신을 사랑하는 거야. 정염에 불타는 그 불 같은 눈을 보면 당신의 마음을 몽땅 태워버릴 것 같아. 무서운 집념이야."

"그러니까 헤어진다고."

"정말?"

"정말이고 거짓말이고 헤어지는 것 말고 살길이 없잖아. 끊임없는 '응시'가 답답해 미치겠어. 아니, 생각을 해봐. 이렇게 계속 누군가가 어디선가 가만히 보고 있고, 또 모든 것을 알고 있다면, 그게 설사 아내라 해도 편안히 쉴 수가 없잖아. 나는 너무 지쳤어."

혼조는 두 손으로 머리를 감싸 안고 울 것 같은 목소

리로 말을 이어갔다.

"누구라도 어느 정도는 혼자만의 세계를 원하고, 또 그게 필요해. 나만 아는 세상이 필요하단 거야. 그런 것 없이는 살아가기 힘들어. 그게 바로 마음이지. 마음속으로 생각하는 건 입 밖으로 내지 않는 한 다른 사람은 아무도 모르잖아? 나는 그런 마음을 소중하게 생각하기 때문에 그 마음속까지 슬며시 들어와 나 혼자 생각하는 걸 몰래 알려고 하는 사람이 있다면 참을 수가 없어. 온종일 쉬지 않고 대중의 눈앞에서 춤을 춰야 하는 사람보다 더 괴로워. 나는 머리가 이상해질 것 같아. 아내와 헤어지는 게 내가 살 수 있는 유일한 길이야."

"헤어지면, 그걸로 다 괜찮은 걸까?"

"그 이상 뭐가 있어. 나는 집과 땅도 재산도 전부 아내에게 주고 빈털터리가 되어 헤어질 거야. 내가 없어져도 그 정도의 집과 재산이 있다면 평생 먹고사는 데 어려움은 없을 거야. 밥도 못 먹게 만들고 버렸다는 말을 들으면 곤란하니까 전부 다 몽땅 줄 거야. 그러면 불만은 없겠지."

"그런데 당신 부인은 당신의 전 재산 같은 거보다 당신이라는 사람을 원하는 게 아닐까?"

"그러면 도대체 어떻게 하란 말이야?"

혼조는 초조해하며 화가 난 것 같은 말투로 말했다.

"어떻게 하면 되냐고 물어도 분명 이혼을 받아들이지 않을 거야."

"끝까지 따라온다고 하면……, 영원히 나를 속박하고 괴롭히려고 한다면……."

혼조의 얼굴에서 핏기가 싹 사라지고 콧등에서 진땀이 배어 나왔다.

"절대 못 헤어진다고 하면 나한테서 영원히 떼어내서 두 번 다시 나에게 들러붙지 못하게 해주겠어."

"그 말은? 어떻게 한다는 거야?"

불온한 공기 속에서 모모코는 두려움에 떨며 창백한 얼굴로 물었다.

"음, 그때는……. 그때는 죽일 수밖에 없어. 죽여버리면 완전히 나에게서 떨어지겠지. 아니, 농담이야. 아하하."

모모코는 그의 무릎에 얼굴을 대고 누웠다.

그녀의 얼굴 위로 혼조의 공허한 웃음만이 맴돌았다.

4

야스코는 혼조가 돌아올 시간을 이미 알고 있는 것처럼 혼조가 현관 벨을 누르려고 하자 안에서 문을 열고 상냥하게 그를 맞았다.

거실에 들어서니 술이 따끈하게 데워져 있었다. 야스코는 술잔을 그의 손에 건네며 "오늘은 별일이 없었나 보네요" 하고 말했다.

"뭐가?"

"뭐라니, 오호호, 모모코 씨랑……."

혼조는 입을 꾹 다물었다.

"저기, 나랑 헤어지고 그 사람과 결혼하는 이야기를 나눈 거야? 꽤 잔인한 계획을 세우는 사람들이네. 난 당신이 뭐라고 해도 헤어지는 건 싫어."

야스코는 이렇게 말하고 그에게 바짝 다가가 손을 잡고 그가 손에 쥐고 있는 잔에 입술을 대고 술을 한 모금 마셨다.

"당신도 마셔."

"싫어."

혼조는 소리를 내며 거칠게 잔을 내려놓았다.

"싫겠지. 이미 기분 좋게 술기운이 돌고 있으니까. 모모코 씨가 따른 술이 아니면 맛이 없는 건가?

"무슨 말을 하는 거야?"

"그냥 묻는 거야. 내 애정이 귀찮다고? 벌 받을 거야, 당신이라는 사람. 누구 덕에 어린 나이에 이렇게 출세해서 높은 지위까지 얻었는지 잊었어?"

야스코는 혼조의 무릎에 손을 얹고 집요하게 응시하며 말했다.

"전부, 나, 아니 내 영적 능력 덕분 아닌가? 그게 없었다면 임원 후보는 고사하고 밑에서 잔심부름이나 겨우 하고 있겠지. 그런 소중한 나를 배신하고 모모코 씨와 함께하려고 헤어진다느니, 죽인다느니, 건방진 소리도 정도껏 하지 않으면 세상의 비웃음거리가 될 거야."

혼조는 무릎 위의 손을 치우고 어깨를 으쓱거리며 말했다.

"그 은혜를 아니까 지금까지 억지로 참아온 거잖아. 근데 이제 더 이상 못 참겠어. 당신의 성가신 그 애정이 나를 미치게 만들어. 가려운 곳을 긁어주는 것 같은 그 헌신적인 모습은 정말 반갑지 않은 친절이야. 가슴이 메슥거려. 당신과 함께 있으면 나는 머리가 이상해져서 어떻게 돼버릴 거 같아. 당신의 독침으로 찌르는 것 같은 그 '응시'도 더 이상 못 견디겠어. 나는 당신에게서 완전히 해방되어 자유로운 세상에서 크게 숨 쉬면서 살고 싶어. 눈에 보이지 않는 당신이 말하는 그 영혼 같은 것에 묶여서 자유를 잃어버린 지금의 생활은 정말 끔찍해. 헤어지자. 그거 이외에 내가 살 길은 없어."

"당신과 헤어지면 나는 살 수 없어."

"살아갈 수 있을 만큼 모든 걸 당신에게 줄게."

"전 재산 말이지? 오호호, 나는 당신이 필요해. 당신의 몸도, 마음도, 전부 내가 가지고 싶어."

혼조는 손에 든 술잔을 그녀의 얼굴에 확 던졌다.

"적당히 좀 해."

"내 희망을 말한 것뿐이야."

혼조는 이를 갈며 말했다.

"악녀의 애정이라는 건 당신 이야기야. 나는 보통 여자가 좋아졌어. 손에 잡히지도 않는 영혼이니 심령이니 하는 것에 홀려서 다른 사람의 비밀이나 알아내려고 하는 여자는 너무 끔찍하다고."

야스코는 더욱 질척거리며 엉겨 붙었다.

"이렇게 미움을 받는데 나는 너무 좋아서 참을 수가 없다니 이 무슨 한심한 일인지. 그래도 도망칠 수 있으면 어디 도망쳐봐. 내 영혼이 몸에서 빠져나가 당신 뒤를 쫓아 끝까지 따라갈 거니까."

"따라올 수 있으면 따라와 봐."

"갈 거야. 봐, 당신 마음속으로 내 영혼이 들어가잖아……."

야스코는 텅 빈 눈으로 그의 가슴을 손가락으로 가리켰다.

"뭐야!"

혼조는 홱 일어나 무언가를 쫓아버리듯 심장 부분을 탈탈 털어냈다. 그는 그러는 사이에 점차 이성을 잃어갔다. 혼조는 눈앞에 있는 야스코가 미워서 참을 수 없는 지경이 되었다.

'이 여자만 없으면……' 하는 생각만 머릿속에서 소용돌이쳤다.

혼조는 야스코가 화로에 꽂아두었던 재봉용 인두를 들고 있는 힘을 다해 그녀의 머리를 후려쳤다.

"앗, 당신……. 정말 나를 죽일 작정이야?"

야스코는 뒤로 나자빠져 다시 인두를 치켜들고 자신을 내려치려는 혼조를 사랑스럽게 올려다보며 말했다.

"당신 손에 죽는 건 예전부터 알고 있었어. 그래도 난 기뻐. 저기, 저기. 내 영혼이 당신의 영혼 속으로 녹아들어가는 게 보여. 당신의 영혼과 내 영혼은 당신의 몸안에서 완전히 하나가 됐어. 영원히 헤어지지 않아. 나는 죽어도 내 영혼은 당신의 마음속에서 살아갈 거야."

"무슨 말을 하는 거야!"

두 번째로 내려친 인두 아래에서 야스코는 더 이상 소리를 내지 못했다.

혼조는 괜히 인두를 휘두르면서 방 안을 뱅글뱅글 돌았다.

"이 심장 안에 야스코의 영혼이 들어와 있다, 윽, 나와, 나오라고!"

혼조는 고함을 지르며 자기 가슴을 계속 쳤다.

"안 나와! 나와, 당장 나오라고!"

그는 몸부림을 치며 무언가를 떨어뜨리려고 하듯 몸을 흔들고 가슴을 두드리며 집을 뛰쳐나와 정처 없이 거리를 내달렸다.

배급품을 가져다주러 온 옆집 부인이 무자비하게 죽어 있는 야스코를 보고 혼비백산하여 인근 파출소에 알린 바로 그 시각에 혼조는 미치광이가 되어 지나가던 경찰관에게 붙잡혔다.

(1949년 9월)

심야의 손님

목소리

탐정 사쿠라이 요코에게 누마즈의 별장에서 병 때문에 요양 중이던 부호 아리마쓰 다케오가 급하게 전화를 걸어 의뢰하고 싶은 일이 생겼으니 빨리 와주면 좋겠다고 말했다.

아리마쓰는 빈틈이 없고 세심한 남자다. 특히 여자에게는 정중하고 다정하여 정말 훌륭한 신사였지만 요코는 왠지 모르게 그가 마음에 들지 않았기 때문에 잠시 망설였다. 하지만 직업상 이유 없이 거절하는 것도 좋지 않다고 생각하여 오후 4시 40분에 출발하는 급행열차를 타고 도쿄역을 출발했다.

기차가 오다와라에 도착했을 때는 낮이 짧은 겨울의 해가 완전히 저물어 있었다.

어떤 사건을 해결한 지 얼마 되지 않았던 요코는 푹 쉴 틈도 없이 바로 기차를 탔기 때문에 자리에 앉자마자 바로 피로가 밀려와 아주 녹초가 되었고 엄청난 졸음까지 쏟아져 계속 꾸벅꾸벅 졸았다.

그런데 갑자기 근처에서 대화 소리가 들렸다. 요코는 꿈처럼 그 이야기를 듣고 있었다. 목소리는 아무래도 통로 근처에서 들리는 것 같았다.

"잘 끝났어. 하지만 위험할 뻔했어. 어쨌든 열차 전체를 감시하고 있으니까."

말투는 거칠었지만 목소리는 가늘고 부드러운 느낌이 들었다. 대답은 들리지 않았다.

"아무리 수배를 한다 해도 목적을 달성할 때까지는 절대 안 잡힐 거야!"

잠시 침묵이 이어지더니 다시 저력이 느껴지는 말투로 누군가 말했다.

"뭐, 우물쭈물하면 내가 해치워버릴 거니까."

그러고는 더 이상 아무런 소리도 들리지 않았다.

그런데 유가와라를 통과하고 얼마 지나지 않아서 갑

자기 "자, 가자" 하고 조금 전의 목소리가 다시 들렸다. 그 순간 비상벨이 울렸고 열차는 갑작스럽게 속도를 늦추면서 정차하려고 했다. 요코는 멍하게 눈을 뜨고 있었다. 그때 갑자기 출입구의 문을 열고 기차에서 뛰어내리는 두 개의 그림자가 보였다. 한 사람은 키가 크고 다부진 체격의 헌팅캡을 쓴 남자였고 다른 한 사람은 몸집이 작고 호리호리하며 얼굴은 하얗고 갸름했다.

드디어 기차가 레일 위에서 끌려가는 듯한 무거운 소리를 내며 멈췄다. 승객들은 전부 일어났고 기차 안은 소란스러워졌다. 어두컴컴한 밖을 내다보며 무슨 사고인지 알려고 하는 얼굴들이 창문에 겹쳐졌다. 하지만 아무 일도 없는 것 같아 보였고 기차는 다시 조용히 달리기 시작했다.

"왜 그래? 무슨 일이야?"

"누가 치였나요?"

지나가던 승무원을 붙잡고 승객이 나무라듯 말했다.

승무원은 "아무 일도 아니에요. 누가 장난을 친 것 같아요. 비상벨이 울리니까, 정말 놀랐어요" 하고 어색하게 웃었다.

"괘씸하기 짝이 없네. 승객이 한 건가요?"

"그걸 알아보고 있는데 알 수가 없어서 난처한 상황이에요."

"장난을 치고 도망간 거 아니에요?"

"아니요. 그런 일은 없습니다. 승객들은 한 분도 내리지 않았어요. 제대로 이렇게 하나하나 행선지를 기입한 걸요. 없어지면 바로 알 수 있는데, 한 분도 빠짐없이 다 계세요."

요코가 본 두 개의 그림자, 그건 무엇이었을까? 승객의 숫자에 변화가 없다면……. 혹시 꿈이었을지도 모르지만 요코는 아무래도 꿈이라는 생각은 들지 않았다. 하지만 아무 일도 없다고 하는 상황에서 쓸데없는 이야기를 꺼내서 큰 소란을 만들어서는 안 된다고 생각했기 때문에 요코는 입을 다물고 있었다.

그러자 이번에는 등을 맞대고 앉은 젊은 부인이 공무원 같아 보이는 남편에게 속삭이는 말이 들렸다.

"정차역도 아닌 곳에 기차가 멈추는 건 왠지 꺼림칙

해. 도대체 누가 비상벨을 누른 거지?"

"자기도 모르게 실수한 거겠지. 다른 것보다 그 유명한 의적 오고시 센조가 탈옥한 것 때문에 완전히 신경을 곤두세우고 있을 테니까. 잘 봐, 이 열차에도 형사가 많이 잠복하고 있어."

"뭐야, 무섭게. 그러면 이 열차에 수상한 사람이라도 타고 있는 걸까?"

"음, 뭐 주시하고 있는 거겠지."

"왠지 소름 끼치네. 그런 말을 하니까 사람들의 얼굴이 무섭게 보여."

"웃기지 좀 마. 오고시는 여자같이 예쁘장한 남자야. 얼굴뿐만이 아니라, 악인이지만 착한 면도 있어서 일을 하나 끝내면 바로 뉴스에 나온 불쌍한 집에 나타나 베풀고 간다는 거야. 그러니까 모두가 그를 감싸고 일부러 다른 인상착의를 말해서 잡는 데 정말 고생했다고 해. 또 한 가지, 오고시가 보통 강도와 다른 점은 들어가는 집이 반드시 부정한 일을 해서 돈을 번 부호들이라는 거야."

"당신은 어떻게 그렇게 자세히 알고 있어? 신문에는 아직 아무것도 나오지 않았는데."

"그 당시에 나는 사법관으로 매일 법원에 갔으니까 알지."

"같은 강도인데도 오고시만 그렇게 인기가 있는 게 이상했는데 역시 뭔가 다른 점이 있었던 거였어."

기차는 무사히 누마즈에 도착했다.

플랫폼에 내린 요코는 그곳에 아리마쓰의 모습이 보이지 않는 것이 조금 의외라고 생각했다. 항상 빈틈없이 신경을 쓰는 그이기에 반드시 자신의 차를 가지고 데리러 올 것이라고 예상했기 때문이다.

아니면 개찰구에서 기다릴지도 모른다고 생각했지만 그곳에도 없었다. 그뿐만이 아니라 아리마쓰가 사람도, 자동차도 보내지 않은 데는 조금 실망했다.

요코는 택시가 서 있는 쪽으로 걸어가 문을 열며 "아리마쓰 씨 집까지요" 하고 말했다.

운전수는 문이 쾅 닫히는 동시에 핸들을 꺾었다.

밤바람은 차갑고 하늘에는 별이 반짝이고 있었다. 택

시가 소나무 가로수길에 다다랐을 때, 반대 방향에서 포드 한 대가 엄청난 속도로 달려왔다. 스쳐 지나가는 순간, 핸들을 잡고 있는 다부진 체격의 헌팅캡을 쓴 남자와 그 옆에 앉아 있는 귀공자 스타일의 남자가 얼핏 눈에 들어왔다. 깜짝 놀라 다시 보려고 하는 순간, 차는 이미 지나가고 없었다. 요코는 그 사람들이 어쩐지 조금 전 기차에서 뛰어내린 두 개의 그림자 같다는 생각을 지울 수 없었다.

아리마쓰의 저택은 굉장히 조용했지만 마치 사람을 기다리는 것 같은 모습으로 문이 좌우로 열려 있었기 때문에 택시는 소리를 내며 문 안으로 들어갔다. 하지만 아무도 나오지 않았다. 요코가 현관 벨을 눌러봤지만 역시 일하는 사람은 나오지 않았다.

안방 쪽에서 불빛이 보였지만 집 안은 묘하게 쥐 죽은 듯 고요했고 아무도 없는 것 같았다. 다시 벨을 눌러봤다. 귀를 기울이니 멀리서 발소리가 들렸다. 2~3분 기다려봤지만 역시 아무도 나오지 않았다.

요코는 조금 초조해져 이번에는 연속해서 벨을 눌렀다.

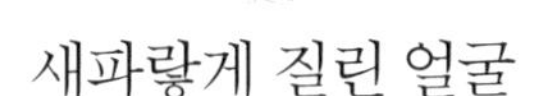

새파랗게 질린 얼굴

그러자 문이 살짝 열렸고, 그 안으로 겁을 먹은 것 같은 두 개의 눈이 보였다.

"도쿄에서 왔습니다. 주인분께 전해주세요."

요코가 어색하게 웃으며 명함을 내밀었다.

상대방은 아무 말도 없이 가늘고 하얀 손을 내밀어 그 명함을 받았다. 그때 갑자기 문이 확 열렸고 애타게 기다리기라도 한 듯 숨까지 헐떡이며 "선생님, 어서 오세요. 잘 오셨어요" 하고 마치 다른 사람이라도 된 것처럼 친절하게 요코를 맞았다.

요코는 한눈에 그 사람이 미인으로 소문난 아리마쓰의 양녀 미와코라는 사실을 알 수 있었다. 열일곱, 열여덟 정도일까, 엄청난 미인이었지만 얼굴이 새파랗게 질려 아픈 사람 같았다. 그녀는 몸을 발발 떨고 있었고, 입술 주변에는 미세한 경련까지 보였다. 요코는 예삿일이 아니라는 사실을 직감했다.

"아가씨, 무슨 일이 있나요?"

다정하게 물으니 미와코는 더 이상 못 참겠다는 듯이 갑자기 목소리를 높여 울기 시작했다.

"무슨 일이에요? 아버님이 몸이 안 좋으신가요?"

"아니요, 아버지가……, 아버지가……."

"아버님이?"

"돌, 돌아가셨어요."

"네? 언제요?"

전화로 목소리를 들은 것이 바로 4~5시간 전의 일이다. 요코도 이 갑작스러운 변고에 놀랄 수밖에 없었다.

"그걸 잘 모르겠어요. 저는…… 아무것도 모르고 차를 가지고 서재로 갔어요."

미와코는 이렇게 말하고 무서운 듯 몸을 떨었다.

"아버지는 책상 앞에 엎드린 채 죽어 있었어요. 사방이 온통 피로……."

"각혈을 하셨나요?"

"아니요. 아마도 도둑이……. 심장에 단도가 꽂혀 있었어요. 저는 정신없이 그 단도를 빼냈어요. 그랬더니 갑자기 피가 뿜어져 나와서 내 손도, 팔도, 소매도 피투성이가 돼서……."

요코는 끝까지 듣고 있을 수가 없었다. 미와코의 안내를 받아 서재로 달려갔다.

실내는 완전히 엉망이 되어 있었고 어질러진 서류 속에 아리마쓰가 붉은빛으로 물들어 쓰러져 있었다. 그의 오른손에는 총이 단단히 쥐어져 있었지만 방아쇠를 당기기 전에 심장이 찔린 것 같았다. 미와코가 뽑았다고 하는 단도는 바닥 위에 내던져져 있었다.

"경찰에는 알렸어요?"

"아니요, 아직. 아니, 아무도 없고 저 혼자여서……. 어떻게 해야 할지 막막했는데, 그때 벨이 울려서 몸이 굳어버렸어요. 도둑이 다시 온 건 아닌지 무서워서 현관으로 바로 나가지 못했어요. 그런데 선생님이 와주셔서 정말 기뻤어요. 정말 고마워요."

"일하는 사람은요?"

"시내에 장을 보러 갔어요. 이제 돌아올 시간이긴 한데……."

아무것도 몰랐다고 해도 단도에는 미와코의 지문이 묻어 있을 테고 우연이라고는 하지만 일하는 사람은 장을 보러 나가서 집에는 미와코 혼자밖에 없었다고 하면 그 결과는 어떻게 될까? 범인이 증거라도 남기고 떠나지 않은 이상 혐의를 받는 것은 당연했다.

요코는 그것이 가장 먼저 걱정이 되었다. 하지만 미와코는 그것보다도 아버지가 살해되었다는 사실에 압도된 듯 요코가 경찰에 알리러 가자고 말하자 황급히 만류하며 "선생님, 아무 데도 가지 마세요. 제발. 제 옆에 있어주세요. 부탁이에요"라며 요코의 손을 잡고 매달렸다.

"그러면 제가 여기 있을 테니 아가씨가 다녀오세요."

집에 있는 것보다는 그 편이 조금은 덜 무서운지 미와코는 바로 밖으로 뛰어나갔다.

검시 결과, 살인이 일어난 것은 오후 6시부터 7시 사이였다. 그 시간에 집에 있었던 사람은 미와코뿐이었다.

일하는 사람은 담당자 앞에서 이런 말을 했다.

"최근에 주인님이 굉장히 신경질적이고 계속 불안해하시고 밤에도 마음 놓고 주무시질 못하는 것 같았어요. 뉴스를 보고 계시다가 갑자기 안색이 바뀌더니 도쿄에서 급하게 목공을 불러 문을 다시 고치기도 하고 아주 작은 소리에도 놀라고, 마치 누군가가 주인님을 노리는 것처럼 행동했어요. 오늘은 아침부터 굉장히 기분이 안 좋으셔서 아가씨에게 화풀이를 하면서 듣고 있기도 힘든 욕을 퍼부었는데, 그 순하고 착한 아가씨도 참을 수 없었는지 결국 큰 언쟁이 벌어졌어요. 주인님이 무서운 목소리로 미와코는 나를 죽일 작정이야, 언젠가 나는 너에게 살해당할 거야, 하고 이야기하는 걸 들었어요."

담당자들의 눈이 전부 미와코에게 향했다. 하지만 그녀는 6시에서 7시 사이에 2층 자기 방에서 편지를 쓰고 있었다고 말했다.

정말 쓰다 만 편지가 책상 위에 놓여 있었다. 그 편지에는 이런 말이 쓰여 있었다.

저는 신세를 져서는 안 되는 사람에게 신세를 지고 있는 이 고통을 이제 더 이상 참을 수 없습니다.

저의 돌아가신 아버지와 둘도 없는 친구인 양부가 갑자기 부모님을 여의고 고아가 된 저를 데려와 오늘날까지 키워주신 은혜, 그걸 생각하면 반항하면 안 된다고 생각하지만, 일단 아리마쓰가의 재산을 제가 노리고 있는 것처럼 말하는 것도 괴롭고 어머니를 닮지 않고 점점 죽은 아버지를 닮아가는 제 얼굴을 양부가 굉장히 싫어해 때로 눈을 가리고 얼굴을 보지 않으려고 하는 것도 힘듭니다. 친한 친구라면 그리울 텐데 왜 그렇게 싫어하는지 이해가 되지 않지만 다시 생각해보면 그건 당연한 일이기도 합니다. 왜냐하면 죽은 아버지는 어머니를 살해하고 감옥에서 미쳐서 자살한 사람이니까요. 어떤 이유 때문에 아버지가 어머니를 죽이게 된 건지는 모르겠지만 굉장히 감정적인 사람이라 쉽게 흥분했기 때문에 단순한 동기로 그만 그런 엄청난 죄를 지은 것이 아닌가 생각합니다.
어머니를 너무 사랑한 나머지 독점하고 싶었는지 어머니가 잠시 다른 남자와 이야기만 해도 화를 내던 기억이 납니다. 쉽게 격해지고 화도 잘 내지만 바로 또 기분이 좋아지는 성격이었습니다. 그게 또 저와 닮았다고 합니다. 저도 한번 화를 내면 꽤 거칠어집니다. 오늘도 저는 한나절 동안 거의 미치광이가 되었어요. 왜냐하면 양부가 자기가 넥타이핀을 어디 뒀는지 잊어버리고 넥타이핀이 없어졌다고 저를 의심하고 심하게 나무랐기 때문입니다. 훔쳐서 도망가려고 한 것 아니냐고, 그리고 마지막에는 태생보다는 양육이 중요하다고는 하지만 역시 피는 못 속인다고 말했습니다.
저는 그 한마디에 발끈해서 그곳에 있던 작은 꽃병을 바닥에 내던졌습니다. 물론 마음속에서는 양부에게 던졌죠. 양부는 눈을 부릅뜨고 저를 때렸습니다.

내던진 꽃병으로 저는 엄청 얻어맞고 멍투성이가 되었습니다.

저는 오늘부로 이 집을 떠납니다. 그리고 타이피스트가 되어 일하기로 결심했습니다. 일을 해서 자립할 것입니다. 가시방석에 앉아 있는 것보다는 가시밭길을 용감하게 헤쳐 나갈 것입니다. 양부의 말을 빌리자면 저의 아버지는 미친 사람이니까, 저도 지금 미치광이가 되어 무슨 일을 저지를지 모르겠습니다. 양부의 공포증도 제가 없어지면 전부 괜찮아지겠죠. 내심 저를 두려워하는 것 같으니까요. 저도 역시 양부가 무서워…….

편지는 증거로 압수되었고 미와코는 그 자리에서 연행되었다.

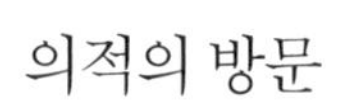

의적의 방문

아리마쓰는 죽음을 예견했든지 아니면 뭔가 자신에게 위험이 닥쳤다고 느껴서 요코에게 전화를 건 것이 아닐까. 더 빨리 기차를 탔다면 아리마쓰가 그 위험에서 벗어날 수 있었을지도 모른다고 생각하니 요코는 몹시 유감스러웠다.

막차를 탄 요코는 몹시 지쳐 있었지만 이상하게 눈이 말똥거렸고 졸리지도 않았다.

집에 도착하니 손님이 응접실에서 기다리고 있었다. 요코가 손님과 이야기를 끝내고 현관에서 배웅하니 벌써 1시가 가까워져 있었다.

정리를 하러 들어온 하녀에게는 빨리 쉬라고 말하고 혼자 응접실에 남았다. 아무에게도 방해받지 않고 조용히 혼자서 생각하고 싶었기 때문이다.

미와코의 운명, 그것은 너무나도 애처로워서 요코의 마음이 아팠다. 친아버지는 어머니를 죽이고 감옥 안에서 자살했고 양부는 비명횡사했다. 보기 드문 미모를 가진 고아의 배경은 마치 피로 물든 것 같았다.

밤은 점점 깊어갔다.

요코는 꼼짝도 하지 않고 깊이 생각에 잠겼다. 가스 스토브의 불이 파랗게 보였다.

그때 정원에서 누군가가 몰래 움직이는 것 같은 소리가 났다. 이런 늦은 밤에! 창문을 열어 밖을 봤지만 아무것도 보이지 않았다. 나무 주변의 어둠은 깊고 고요했다.

요코는 창문을 닫고 스토브 쪽으로 의자를 밀고 갔다. 이때 다시 희미한 소리가 들렸는데 이번에는 굉장히 불쾌했다.

뒤를 돌아보니 창문에 사람의 그림자가 보였다. 깜짝 놀란 사이에 유리가 깨졌고 잠금장치를 풀고 복면을 쓴 남자가 잽싸게 방 안으로 들어왔다.

요코가 일어나 벨을 울리려고 했지만 남자가 그 손을

누르며 말했다.

“사람을 부르지 마세요. 제발 소란스럽게 하지 마세요. 저는 도둑질을 하러 온 게 아니에요. 선생님을 만나고 싶어서 온 겁니다.”

“그렇다면 왜 현관에서 안내를 받고 들어오지 않는 거죠?”

“현관으로 들어올 처지는 아니니까요…….”

응접실의 유리창을 깨고 침입할 정도로 나쁜 사람으로는 보이지 않았고 목소리도 굉장히 부드럽고 상냥한데다 왠지 모르게 어디선가 들어본 것 같았다.

그 남자는 바로 테이블 위에 단도를 내려놓았다. 요코는 그것을 흘끗 곁눈으로 쳐다봤다. 그는 마찬가지로 주머니에서 다이아몬드 반지와 못 2~3개를 꺼내 테이블 위에 두고 아무 말 없이 주머니를 두드려 보였다. 이제 더 이상 조그만 무기도 없다는 것을 보여주려는 것 같았다.

이런 심야에 위험을 무릅쓰고 들어올 정도이니 분명 예사롭지 않은 일로 찾아왔을 거라고 생각한 요코는 의자를 가리키며 “앉으세요”라고 말하고 다시 “도대체 당신은 누구죠?” 하고 따지듯이 물었다.

남자는 복면을 벗었다. 요코는 깜짝 놀랐다. 낯익은 얼굴이었기 때문이다. 누마즈의 소나무 가로수길에서 스쳐 지나간 차의 조수석에 앉아 있던 귀공자 스타일의 남자였다. 아마 기차에서 뛰어내린 그림자 중 하나이기도 할 것이다. 어디선가 들어본 적이 있는 목소리라고 생각한 것도 당연했다. 요코는 기차 통로에서 말하던 그의 목소리를 이미 들었으니까.

요코의 놀란 얼굴을 보며 그는 침착하게 “저는 탈옥수 오고시 센조입니다”라고 말했다. 요코는 다시 깜짝 놀랐다.

“놀라셨어요?”

좀처럼 대답하기가 힘들었다.

복면을 벗은 남자는 하얀 피부의 여자처럼 얼굴이 아름다웠다. 이 사람이 만약 손님으로 찾아와 현관에서 자신이 의적 오고시 센조라고 밝혔어도 아마 믿지 못했을 것이다. 그 정도로 외모에서도 태도에서도 흉악함은 조금도 찾아볼 수 없었다. 오히려 사람 좋아 보이는 귀공자 모습이었다.

"선생님, 제발 잠시만이라도 제 이야기를 들어주세요."

요코는 물론 그 부탁을 거절할 수 없었다. 이렇게 착한 얼굴을 하고 있지만 그녀가 부탁을 거절한다면 어떤 태도로 나올지 몰랐다.

"알겠습니다. 그렇지만 밤도 깊었으니 빨리 끝내주세요."

오고시는 기쁜 듯이 허리를 조금 굽히며 "그렇게 말해주실지 알고 있었습니다. 역시 제 눈은 틀리지 않았네요!" 하고 말했다. 잠시 침묵이 흘렀고 오고시는 다시 말을 이어갔다.

"이번에 제가 탈옥한 이유, 그건 절대 저 자신을 위해서가 아닙니다. 그 남자를 위해, 아니 그 남자의 부탁을 들어주기 위해서입니다. 선생님, 저는 당신 앞에서 거짓 없는 사실만 말씀드리겠습니다. 들어보시고 꼭 선생님의 힘을 빌려주시면 좋겠습니다."

질투

오고시 센조는 옷깃을 여미고 말했다.

"저는 이제까지 제가 하려고 생각한 일에 실패한 적이 없습니다. 탈옥도 이번이 두 번째인데 두 번 다 성공했습니다. 처음에는 한 매국노를 죽이기 위해서, 이번에는 죽어버린 무고한 죄수의 부탁을 들어주기 위해서입니다. 저는 둔갑술을 쓰지는 않지만 사람들의 주의를 다른 곳으로 돌리고 일을 처리하는 데 능숙해서 탈옥도 그렇게 어렵지 않습니다. 하지만 이번 경우는 탈옥을 해도 혼자의 힘으로는 부족했기 때문에 부탁을 들어줄 사람을 찾아야 했습니다. 이게 굉장히 어려웠죠. 선생님께는 폐를 끼치게 되겠지만 특별히 선택되었다고 생각하시고 발 벗고 나서주셨으면 좋겠습니다."

요코는 "이야기에 따라서는……, 제가 힘이 될 수 있다면 뭐든 해볼게요" 하고 흔쾌히 수락했다.

"저는 한 사형수에게 참으로 딱한 이야기를 들었습니다. 독방에 갇혀 있는 죄수에게 같은 처지의 제가 어떻게 그 이야기를 들었는지에 대해서는 부디 묻지 말아주세요. 저는 이 이야기를 선생님에게 들려드리기만 하면 되니까요. 그걸로 제 의무는 끝입니다. 불필요한 이야기는 전부 생략하겠습니다."

"요점만 들으면 돼요."

"그 사형수도 이미 오래전에 미쳐서 자살을 했어요"라고 말하고 오고시는 잠시 눈을 감았다. 그리고 다시 말을 이어갔다.

"그 남자의 이름을 조지라고 하겠습니다. 조지는 미국에서 태어났지만 부모님이 일찍 돌아가시고 형제자매도 없이 완전히 혼자였습니다. 정이 많은 선교사가 잘 보살피며 큰 사랑을 주었고, 곧 도쿄로 같이 와서 학교에 들어갔습니다. 하지만 말도 잘 통하지 않고 서양인의 습관이 몸에 배어 친구가 되어주는 사람이 없었습니다. 그는 항상 쓸쓸하게 운동장 구석에 위축되어 있었습니다. 그게 딱해 보였던지 상급생 중 한 명이 조지를 굉장히 친절하게 보살펴주었습니다. 곧 둘은 형제같이 사이좋게 지냈죠."

그는 이렇게 말하면서 성냥을 켜서 담배에 불을 붙였다.

"친구라는 걸 처음으로 가진 조지는 정말 기뻤습니다. 뭐든 친한 친구에게 다 털어놓고 상담하는 식이었습니다. 몇 년인가 지나서 선교사가 죽고 유언에 따라 막대한 재산이 그의 수중에 들어왔습니다."

"서양인들에게는 종종 그런 일이 있죠."

"선교사가 죽고 나서 큰 집에 혼자 있는 것이 적적하다고 하니 그 친구는 자신의 지인인 한 미망인의 집을 소개해주었습니다. 조지는 가족과 똑같은 대우를 받는다는 약속을 하고 그 집으로 들어갔습니다. 거기서 통학을 시작했고 친구는 항상 찾아와서 조지를 살폈습니다. 미망인에게는 후유코라는 굉장히 아름다운 딸이 있었는데, 조지는 그 딸에게 열렬한 사랑을 속삭이게 되었습니다. 친구는 그 이야기를 듣고 씁쓸한 표정을 지으며 종종 충고를 했습니다. 후유코는 불량하니까 포기해, 앞길이 창창한 너의 아내로 저런 여자는 어울리지 않아, 너무 가난한 집의 딸이야, 하면서 깎아내렸습니다. 하지만 그는 도저히 단념할 수가 없어서 친구가 말리는 것도 듣지 않고 구혼을 했습니다. 미망인은 굉장히 기뻐했지만, 정작 중요한 상대방은 확실한 대답을 하지 않았습니다. 하지만 결국 두 사람은 결혼했습니다. 후유코는 어찌 되었든 간에 조지는 행복했습니다. 다음 해에는 귀여운 딸도 태어났고, 친구는 마치 가족의 일원이라도 된 듯 그 집에 눌러앉게 되었습니다. 그렇지만 어찌 된 일인지 후유코는 그 친구를 좋아하지 않았고, 그것이 유일하게 조지의 마음을 힘들게 했습니다. 남편의 친한 친구니까 아내도 좀 친하게 지내면 좋겠다고 생각했습니다."

"상당히 순진한 남자군요."

"꿈같은 7~8년이 지났습니다. 후유코의 사촌 중에 센짱이라는 젊은 선원이 있었는데, 항해에서 돌아올 때마다 기념품 등을 가지고 찾아왔습니다. 두 사람은 어린 시절 같은 집에서 자라 마치 남매처럼 사이가 좋았습니다. 사촌끼리 사이좋게 지내는 모습을 조지는 좋게 보고 기뻐했지만, 친구는 일찍부터 둘 사이에 의심을 품고 종종 조지에게 충고했습니다. 아내의 마음을 조금도 의심하지 않았던 조지도 마치 눈앞에서 보는 듯한 생생한 이야기를 너무 자주 듣다 보니 '어쩌면?' 하는 생각이 들기 시작했습니다."

"둘도 없는 친구의 말이니 더 믿음이 갔겠죠."

"글쎄, 그때부터는 예전처럼 따뜻한 눈으로 두 사람을 보기가 힘들어졌습니다. 하지만 조지가 아직 반신반의했기 때문에 답답해진 친구는 그 정도로 내 말을 믿지 못한다면 증거를 한번 보여주겠다고 말했습니다. 조지는 보여달라고 부탁했습니다. 친구는 보여줘도 되지만 네가 흥분하면 위험하다며 묘한 웃음을 지었습니다. 조지는 화를 내며 만약 사실이 아니라면 용서하지 않겠다고 말했습니다. 친구는 다시 웃었습니다."

오고시가 이렇게 말했을 때 응접실의 탁상시계가

2시를 알렸다. 오고시는 잠시 뒤돌아 시계를 보고 다시 이야기를 시작했다.

“동창 모임이 있던 밤에 모임에 나갔던 조지에게 급하게 친구가 찾아왔습니다. 같이 집에 가보니 정말 안쪽 별채에서 신나고 즐거운 웃음소리가 들렸습니다. 사촌인 센짱이 와 있었던 것입니다. 친구의 아이디어로 그 방에 딸린 작은방 수납장 안에 숨어서 지켜보기로 했습니다.”

“딸은 그때 어디 있었나요?”

“센짱의 무릎 위에 앉아서 초콜릿을 먹고 있었습니다. 샤미센을 들려달라고 센짱이 말했습니다. 후유코는 찬장에서 샤미센을 꺼내 조율을 하고 오늘은 무슨 곡을 연주할지 물었습니다. 그렇게 생각해서 그런지는 모르겠지만 센짱이 열정적인 목소리로 ‘게사고젠의 목이 잘리는 그거 뭐였던 거 같은데’라고 하자 후유코가 ‘도바의 사랑 무덤’(鳥羽の恋塚, 나가우타의 곡명. 다른 사람의 아내인 게사고젠을 사랑하게 된 무사 엔도 모리토가 남편의 모습으로 변장한 게사고젠을 알아보지 못하고 죽여버려 출가

하여 애도한다는 내용—옮긴이)이라고 말하고 밝게 웃었습니다. 조지의 아내는 어린 시절부터 나가우타(長唄, 샤미센에 맞추어 부르는 노래. 에도시대부터 가부키와 함께 발전했다—옮긴이)를 배워 꽤 자신이 있는 것 같았지만, 조지는 오르간은 좋아하지만 샤미센은 싫어했기 때문에 절대 연주하지 말라고 말했습니다. 그 대신에 굉장히 좋은 그랜드피아노를 사주었죠."

"그런 거라면 조지 씨는 정말 후유코 씨를 사랑했다고는 생각되지 않네요. 배려가 좀 너무 부족한, 자기 마음대로 하려고 하는 남자를 여자가 사랑할까요?" 하고 요코는 고개를 갸웃거렸다. 오고시도 동의한다는 듯이 미소를 지었다.

"어쨌든 조지는 자신이 금지한 샤미센을 연주한다는 것부터 화가 났습니다. 잠시 후 후유코는 맑고 아름다운 목소리로 노래를 부르기 시작했습니다. '무사 엔도 모리토는, 봄도 음력 3월 초에 안개꽃보다도, 우아한 너의 얼굴을, 첫눈에 반한 녹색 다리의 고사, 항상 멈추지 않는 오모이카와강, 계속 사랑하는 이 몸은 제정신이 아니니……' 여기까지 불렀는데 갑자기 센짱이 감상적인 목소리로 자신은 내일 또 항해를 떠난다며, 후유코의 이 노래를 녹음해 가고 싶어서 레코드를 가져왔다고 말했습니다. 후유코의 목소리가 듣고 싶으면 레코드를 듣겠다고요. 후유코의 목소리는 낮아서 잘 들리지 않았지만 조지는 왠지 가슴이 답답해지고 진땀이 나 축축해졌습니다. 하지만 친구가 손을 꽉 누르고 있었기 때문에 수납장에서 나갈 수도 없었습니다. 틈새로 보고 있었기 때문에 확실히는 보이지 않았지만 아무래도 센짱과 후유코의 손이 때로 맞닿는 것 같아 그는 더 이상 가만히 있을 수가 없었습니다."

오고시는 이렇게 말하고 마치 자신의 일인 것처럼 큰 한숨을 쉬었습니다.

"그리고 옆방에서 녹음 준비가 끝났고, 딸은 그쪽으로 갔습니다. 샤미센을 연주하는 후유코의 상반신만 보였고 센짱은 보이지 않았습니다. 친구는 조지의 몸을 때때로 쿡쿡 찌르며 '봐봐, 어때?' 하고 속삭였습니다. 하지만 조지에게는 아무것도 보이지 않았습니다. 친구는 조지 이상으로 집중하고 있는 것 같았습니다."

오고시는 잠시 말을 끊고 가볍게 기침을 하더니 다시 이야기를 시작했다.

"그런데 센짱이 일어나는 것 같더니 동시에 아내의 어깨에 손을 올리는 것을 보게 되었습니다. 조지는 머리가 핑 도는 것을 느꼈습니다. 그는 뜨거운 피가 거꾸로 솟아 완전히 이성을 잃었고 친구가 말리는 것도 뿌리치고 비틀비틀 수납장에서 걸어 나왔습니다. 너무 갑작스럽게 모습을 드러냈기 때문에 후유코는 깜짝 놀라 '어머나!' 하고 소리를 지르며 센짱에게 매달렸습니다. 이제 말릴 방법이 없었습니다. 조지는 앞뒤를 생각하지 않고 덤벼들었습니다. 그때 어찌 된 일인지 탁 하고 전등이 나가면서 실내가 어두컴컴해졌습니다. 그 순간에 칼이 그의 손으로 건네졌다…… 고 느꼈습니다. 아니면 우연히 거기 놓여 있었던 칼을 잡은 걸지도 모르지만, 어쨌든 조지는 칼을 쥐는 동시에 격분했습니다."

이야기를 하는 오고시의 눈도 왠지 모르게 살기를 띠기 시작했다.

"조지는 단도를 휘두르며 미친 듯이 날뛰었지만 손에 아무런 느낌도 없었습니다. 눈이 뒤집혀 기둥에 부딪히기도 하고 맹장지를 찢기도 했는데 갑자기 아내가 비명을 질렀기 때문에 더 미칠 것 같았습니다. '앗, 당신. 살려줘. 아니' 하고 소리를 지르는 후유코의 목소리에 섞여 '성공이군'이라는 무서운 목소리가 들렸습니다. 그 목소리와 함께 털썩하고 쓰러지는 무거운 울림이 느껴졌습니다. 조지는 더 미쳐 날뛰며 무턱대고 단도를 휘둘렀습니다. '도와줘, 당신, 다케오 씨를 말려줘' 하는 목소리를 끝으로 도움을 청하는 아내의 목소리도 들리지 않았고, 혼란스러운 조지는 뭐가 뭔지 알 수 없었습니다. 곧 조지는 녹초가 되어 그 자리에 쓰러졌습니다. 누가 신고를 한 것인지 경찰이 우르르 들어와 큰 어려움 없이 조지를 체포했습니다. 센짱도, 후유코도, 이미 그 때는 숨이 끊어진 상태였습니다."

"여자아이는 산 거죠?"

"딸은 그 레코드를 중요한 것이라고 생각해서 꼭 안고 정신없이 안으로 도망을 가버렸습니다."

레코드

"조지는 점점 정신이 돌아오자 너무 무서운 죄를 저질렀다는 생각에 덜덜 떨기 시작했습니다. 눈 깜짝할 사이에 사람을 두 명이나 죽였는데, 그 중 하나는 목숨과도 바꿀 수 없는 사랑하는 아내였던 것입니다. 친구는 혼란스러운 상황이 시작되기 전에 도망간 듯, 경찰이 왔을 때는 이미 보이지 않았습니다. 피바다 속에서 조지는 혼자 멍하게 실신한 것처럼 단도를 쥐고 있었습니다."

"그 단도를 건네준 건 그 친한 친구가 아니었나요?"

"'어쩌면?'이라고 생각을 해보지 않은 건 아니지만 단도는 자기 것이었고 아무런 증거도 없었기 때문에 어떻게 할 수 없었습니다. 게다가 그 후에 친구는 더할 나위 없는 친절을 보여주었기 때문에……. 변호사를 구하는 것부터 감형 운동도 해주었고 딸을 데려와 훌륭한 아가씨로 키우겠다고 약속까지 해주었습니다. 형제라도 이 정도까지 애써 주지는 못할 정도였다고 합니다. 조지는 눈물을 흘리며 고마워했고 잠시라고 해도 그를 의심한 것을 후회하며 전 재산의 관리부터 딸의 장래까지 일임했다고 합니다."

"정말 좋으신 분인가 봐요."

"그런데 점차 시간이 지날수록 그의 머릿속에 여러 의심이 생기기 시작했습니다. 되는 대로 무턱대고 찔렀지만 사람의 몸을 찌른 느낌은 한 번도 없었습니다. 그런데 후유코는 등 쪽에서 칼이 폐를 관통했고 센짱은 심장이 찔렸다고 했습니다. 도무지 이유를 알 수 없었습니다. 기억이 점차 정리되면서 아내가 죽기 전에 자신에게 다케오 씨를 말려달라고 한 말도, 자신을 찌르려고 하는 사람이 남편이었다면 그 남편에게 도움을 청하는 것도 이상하다고 느꼈습니다. 그래서 주변이 어두운 것을 틈타 누군가가 한 짓이 아닌가 하고 생각하게 되었습니다. 그 누군가가 도대체 누구일까요? 그 자리에 있었다고 한다면 그 친구밖에 없었습니다. 하지만 그 사람은 아무런 증거도 남기지 않았을 뿐만 아니라 경찰이 도착했을 때는 이미 현장에 없었습니다."

"누가 경찰에 알린 건가요?"

"공중전화였다고 해요. 물론 누군지는 알 수 없었습니다. 그래서 조지도 한때는 '혹시?' 하고 의심을 했지만 설사 친구가 죽였다고 해도 그 후의 처사가 너무 친절했기 때문에 원망할 마음도 생기지 않았습니다. 어떤 일이든 죄는 혼자 짊어지기로 결심했다고 해요. 하지만 다시 냉정하게 생각하면 너무 바보 같고 자신에게 기억이 없으니 이 일은 끝까지 싸우지 않으면 안 된다는 생각이 들기도 했습니다. 그래서 더 곰곰이 기억을 더듬어보니 예전에 장모님이 조지가 후유코를 알기 전에 그 친구가 그녀에게 구혼한 적이 있다고 말한 것, 친구가 지나치게 센짱에게 적의를 가지고 있었던 것, 아내가 그를 정말 싫어해 피했던 것 등이 떠올랐습니다. 그렇게 생각을 정리하다가 그는 자기도 모르게 아연실색하여 입술을 깨물었습니다."

"조지 씨는 그때 처음으로 친구의 간계에 감쪽같이 넘어갔다는 사실을 알게 된 거네요?"

"맞아요. 사랑하는 아내가 살해당하고 자신은 죄도 없이 사형에 처해진다니……. 그것도 모자라 원수와 다름없는 그 남자에게 은인에게 물려받은 재산까지 자유롭게 쓸 수 있는 권리를 줬다고 생각하니 그의 분노는 극에 달했습니다. 그 후 얼마 지나지 않아 미쳐버려 자살했습니다."

"그 친구는 어떻게 되었나요?"

"조지의 돈으로 투기를 해서 큰 부자가 되었습니다."

"그 딸은요?"

"그게 문제예요. 그 딸이 어른이 되면 분명 조지를 원망할 거예요. 원망을 듣는 건 어쩔 수 없지만 그녀가 얼마나 주눅이 들어 살고 있을지 생각하면 참을 수가 없어요. 그래서 딸을 위해 꼭 진범을 찾아서 아버지가 무죄였다는 사실을 증명하고 싶다던 조지의 절절한 바람을 꼭 들어주고 싶어서 이렇게 부탁하러 오게 되었습니다."

요코는 당황했다.

"하지만 증거는 하나도 없는 거죠?"

"증거는 레코드에 남아 있습니다."

"그 레코드는……, 이미 사라진 거죠?"

"그게 이상한 일이지만 제 손에 들어왔습니다. 그래서 급하게 그와의 약속을 지킬 날이 왔다고 생각해서 탈옥한 것입니다. 제 동료가 한 저택에 물건을 훔치러 들어갔다가 우연히 훔친 옷 사이에서 레코드가 한 장 나와서 집에 돌아와 틀어봤는데, 너무 끔찍해서 부수는 것조차 어쩐지 섬뜩해서 어느 절의 툇마루 아래 숨겨뒀다고 했습니다."

"강도를 하러 들어간 집이 어디죠?"

"누마즈에 있는 아리마쓰 다케오의 집입니다."

"그렇다면……."

오고시는 싱긋 웃었다.

"아리마쓰를 살해한 것은 저입니다. 사실 이전에 탈옥했을 때 그를 방문해서 조지의 이야기를 했습니다. 아리마쓰가 그 두 사람을 죽인 것은 자신이라고 자백했기 때문에 깨끗이 자수하라고 설득했습니다. 그도 꼭 자수하겠다고 약속했지만 지금까지 하지 않았습니다. 아마도 내가 곧 잡혀서 감옥에 들어갔다는 이야기를 듣고 안심했겠죠. 그런데 이번에 탈옥했다는 뉴스를 듣고 잔뜩 겁을 먹고 나를 잡아달라고 할 생각으로 선생님께 전화를 걸었을 거예요."

"기차에서 뛰어내린 두 개의 그림자는?"

"하나는 저이고, 다른 하나는 동료, 그 레코드를 훔친 남자입니다."

"왜 통로에서 그런 이야기를 했어요? 사람들이 들으면 위험할 거라고 생각하지 않았나요?"

"선생님에게만 들리도록 할 생각이었어요. 비상벨 때문에 놀란 상태니까, 선생님이 수상한 이야기를 들었다고 하면 소란이 더 커지잖아요?"

"왜 그러신 거예요?"

"정차 시간을 늘리고 싶었어요. 일을 처리하는 중에 선생님이 아리마쓰의 집에 방문하면 곤란하니까요. 그런데 저도 아리마쓰를 죽일 생각은 없었어요. 그쪽에서 갑자기 총을 겨누니까 나도 모르게 그만…….”

“그러면 이번에는 당신이 자수를 해야겠어요. 그렇지 않으면 불쌍한 미와코 씨가 혐의를 받게 되니까요.”

“물론 자수할 겁니다. 이 일만 맡아주신다면 저의 일은 끝이니까요. 속세에서 우물쭈물할 생각은 없습니다.”

오고시는 품속에서 레코드를 꺼내 테이블 위에 놓았다. 요코는 레코드를 틀었다. 두 사람은 긴장했다.

“해야 할 건 이슬의, 풀을 밟고 이 뜰에서 저 뜰로, 살며시 다가온 모리토는, 달이야말로 차가운 사랑의 어둠, 꺅, 뭐야, 당신, 도와줘……. 아니, 다케오 씨가 센짱을……, 당신! 당신 빨리 와서 다케오 씨를 말려. 응, 이 자식, 성공이군. 정신 차려! 나에게 무슨 원한이 있어서……, 나를 죽여서 어쩌겠다는 거야. 아니, 당신! 사, 살인자, 헉, 당신, 살려줘…….”

말 사이에 섞인 격렬한 잡음, 그것은 그때의 광경을 생생하게 보여주는 듯했다. 말소리는 거기서 끊겼고 그 후에는 마치 어둠 속으로 가라앉는 듯한 섬뜩한 침묵 속에서 시곗바늘이 돌아가는 소리만 쓸쓸히 들렸다.

요코는 오싹해져서 “이만큼 훌륭한 증거가 있었는데……” 하고 소리를 질렀다.

“선생님, 제발 부탁드립니다. 저는 드디어 오늘 사형수의 부탁을 들어줬다고 생각하니 속이 정말 후련합니다. 탈옥을 했으니 죄는 더 무거워지겠죠. 하지만 제 마음의 짐은 가벼워졌습니다. 그러면 미와코 씨의 장래를 잘 부탁드립니다.”

“네, 잘 알겠습니다.”

그렇게 새벽 서리를 밟고 심야의 손님은 어딘지 알 수 없는 곳으로 자취를 감췄다.

(1938년 12월)

일본 동백꽃 아가씨

1

내가 현관의 격자문을 열자 어머니가 뛰어나와 "고텐야마의 히가시야마 씨가 사람을 보냈어. 아침부터 세 번이나" 하고 재촉하듯 말했다.

"무슨 일인데?"

"중대 사건이라고, 빨리 의논하고 싶으니 '히나코 씨가 돌아오면 바로 와달라'고 하더라."

나는 "사무소로 전화하면 될 텐데……. 히가시야마 씨 집이면 사무소에서 바로 가는 편이 훨씬 가까운데 말이야" 하고 그의 센스 없음을 나무라는 듯한 말투로 말했다.

"계속 걸었는데 통화 중이어서 연결이 안 됐다더라. 히가시야마 씨가 기다릴 테니까 가는 게 어때?"

"그래. 그 성급한 성질에 분명 초조해하면서 다른 사람들한테 화를 내고 있을 거야. 어쩔 수 없지. 지금 다녀올게."

나는 벗었던 신발을 다시 신고 서둘러 히가시야마 씨의 집으로 향했다.

시나가와의 바다가 보이는 고래 등 같은 저택도 주인이 사는 집의 일부와 별채의 다실만 빼고 나머지는 전부 전쟁의 피해를 입었다. 그렇게 체면을 신경 쓰는 그가 아직 집을 고치지 않은 것은 달리 방법이 없어서일 것이다. 들리는 소문으로는 저택도 내밀히 매물로 나와 있다고 하니 주머니 사정이 꽤 좋지 않은 것이 분명해 보였다. 무엇보다 한때 그렇게 경기가 좋았던 군수회사도 전쟁이 끝나면서 문을 닫았기 때문에 제2예금봉쇄와 재산세에 시달리고 있었다. 거기에 10명에 가까운 가족을 부양해야 했기 때문에 이만 저만 힘든 게 아닐 것이다.

히가시야마 하루히코의 아버지와 나의 아버지가 친했기 때문에 나도 그와 친구였다. 그는 고등학교 시절부터 난봉꾼으로 부호의 아들로는 흔한, 제멋대로에다가 허영심 많고 독선적이고 세상 물정에 빤한 불쾌한 남자였다. 그리고 여자를 굉장히 밝히는 남자로 신바시 근처의 요정에 틀어박혀 거기서 학교를 다녔다는 이야기도 들었다. 그런데 부인 운은 없는 사람으로 예쁜 얼굴을 보고 들인 첫 번째 부인도 포함해서 다섯 번째 부인까지 잃은 후에는 정식 부인을 맞지 않고 밖에 두었던 첩을 집으로 들였다.

그 첩은 미인으로 굉장히 유명하여 한때는 일본의 동백꽃 아가씨(베르디가 쓴 오페라 〈라 트라비아타(La Traviata)〉의 원작 소설 『동백꽃 아가씨(La Dame aux Camellias)』의 주인공으로 소설과 오페라는 매춘부와 귀족의 비극적 사랑을 그리고 있다—옮긴이)라고 하면 난봉꾼들 사이에서 모르는 사람이 없을 정도였다. 물론 게이샤도 여배우도 아니었다. 첩 장사라고도 할 수 있을 정도로 이 남자에게서 저 남자로 징검다리를 건너듯 옮겨 다니는 부류였다. 그리고 히가시야마의 품속으로 들어간 후에는 그곳이 자신이 마지막으로 정착할 곳이라고 생각한 것인지 소문이 뚝 끊겼다.

히가시야마가 그 여자의 몸값을 지불하고 빼내왔다고 해서 결투 신청을 받은 적이 있다는 이야기도 있었다.

어쨌든 그때부터 그는 화류계에 거의 모습을 드러내지 않고 집 안에 틀어박혔기 때문에 분명 평화롭고 행복한 생활을 하고 있을 것이라고 나는 멀리서나마 축복하고 있었는데, 이렇게 시나가와의 집에 와서 그를 만나보니 지금까지의 상상이 완전히 뒤집혔다. 그의 완전히 변해버린 모습을 보고 일단 깜짝 놀랐다. 히가시야마는 완전히 초췌해져 안면 신경통이라도 생긴 듯 계속해서 눈과 입을 찡그렸다.

나는 오랜만에 만났지만 인사도 제쳐두고 "중대 사건이라니, 무슨 일이죠?" 하고 물었다.

그는 초조해하며 의자의 가장자리를 손가락 끝으로 두드리고 발을 꼬았다가 풀면서 전혀 안정을 찾지 못했다.

"히나코 씨, 사실은 극비리에 급하게 어떻게든 처리해야 할 일이 생겼어요. 어때요? 절대로 다른 사람에게 말하지 않는다고 약속할 수 있어요?"

"그건 당연히, 제 직업상 타인의 비밀을 발설하는 일

은 없습니다."

그는 깊게 고개를 끄덕이며 말했다.

"그렇겠죠. 의사가 환자의 비밀을 발설하지 않는 것처럼. 게다가 나와 히나코 씨는 친구이기도 하니까. 특별히 편의를 봐주기도 할 거고, 그래서 부탁드리는 거지만, 혹시 제 아내, 물론 정식 부인은 아니지만 미야코와 만난 적이 있나요?"

"네, 두 번 만난 적이 있어요. 엄청난 미인이더라고요."

히가시야마는 쓴웃음을 지으며 "미야코가 어젯밤에 납치되었어요"라고 말했다.

"네? 부인이?"

"네, 아내가요."

"납치를 당했다는 걸 어떻게 알죠?"

"미야코는 말이죠, 중병으로 자리보전하고 누워 있었어요. 혼자서는 걷지도 못하는 환자가 사라져버렸으니 납치가 아니고 뭐겠어요?"

나는 가만히 그의 얼굴을 봤다. 살짝 흥분한 탓에 창백한 뺨에 핏기가 돌기 시작했지만, 눈은 충혈되어 어젯밤 이후의 괴로움을 역력히 보여주고 있었다. 항상 깔끔하게 가르마를 타던 머리도 이야기를 나누는 동안 벅벅 긁어서 부스스해졌다.

미야코의 이전 신분이 신분인 만큼 그의 번민에는 복잡한 무언가가 있었다. 질투가 뒤섞인 감정도 있을 것이고, 체면을 중요하게 생각하는 그로서는 마치 얼굴에 먹칠을 한 것 같은 불쾌함도 있을 것이다. 세간에 알려지면 면목이 없기 때문에 어떻게 해서든 아무도 알아차리지 못하는 사이에 데려와야 한다고 초조해했다.

"조금 더 자세히 말해주겠어요? 부인이 중태에 빠졌다면 어떤 병이었죠?"

그는 흥 하고 코웃음을 치면서 말했다.

"그런 종류의 여자가 마지막에 죽는다면 당연히 결핵이나 매독이죠. 자업자득이에요. 남자들을 수없이 괴롭힌 대가죠."

나는 이 차가운 말에 화가 났다. 그렇게 다 알고 있었다면 왜 조금 더 일찍 손을 쓰지 않았을까. 죽음까지 내몰고 그 모습을 가만히 지켜보고 있었다면 그는 절대로 그녀를 사랑한 것이 아니다. 오히려 몰래 일을 꾸며 그녀에게 복수한 것이 아닌가 하는 의심마저 들었다.

"그래서 말인데요" 하고 그가 말했다.

"내 체면도 있으니까 의사에게 부탁해서 신경쇠약이라고 해두었어요. 아무리 그래도 신경마비나 치매라고 발표할 수는 없으니까요. 미친 거라면 실종되어도 변명은 할 수 있지만, 세상에 화제가 되면 곤란하니까요. 꼭 한 번은 여기로 데려와서 여기서 장례를 치르지 않으면 안 돼요. 거기다 아시다시피 미야코는 굉장히 허영심이 강한 사람입니다. 분명 히가시야마의 부인으로 죽고 싶어 할 거예요. 그리고 또 그렇게 해주고 싶은 게 저의 마음이기도 합니다. 납치를 한 녀석도 막상 데리고 가보면 정이 떨어질 거예요. 그렇게 제멋대로 하다가는 바로 버림을 받겠죠."

"납치를 한 사람에게서 뭔가 연락이 있었나요? 돈을 달라든가."

"아직 아무런 연락도 없어요."

"그렇다면 무슨 목적으로 환자를 데리고 간 거죠?"

“설마 그렇게 아픈 사람인지 몰랐겠죠. 바보 같은 녀석” 하고 토해내듯 말했다.

“사람들의 입만 시끄럽지 않으면 오히려 고마울 정도지만요, 세간이라는 시누이가 있으니까……. 저는 그것만 두려울 뿐이에요.”

나는 그와 친구가 아니었다면 한마디로 거절했을 것이다. 그런데 이런 사람을 의지하던 미야코를 생각하면 그녀가 지금까지 어떤 냉대를 받았는지 상상되어 납치를 당한 것이 과연 그녀에게 불행인지 행복인지 헷갈리기 시작했다. 하지만 만약 데리고 오는 것이 그녀에게 행복이라면 그의 의뢰 때문이 아니라 그녀를 위해서 노력하겠다고 결심했다.

“실종 전후의 일이나 뭔가 단서가 될 만한 것이 있다면 알려주세요”라고 하니 그는 천장을 올려다보며 생각했다.

“먼저 최근의 제 경제 상태부터 이야기해야 할 거 같아요. 미야코는 사치를 좋아해서 지금 시대에도 예전과 다름없는 생활을 하지 않으면 심기가 불편한 사람이었습니다. 그런데 사실 부끄러운 이야기지만 지금은 이 집도 더 이상 소유할 수 없는 상태여서, 자신이 원하는 생활이 불가능하다는 것이 미야코의 가장 큰 불만이었어요. 몰래 옛 친구라는 남자에게 이야기를 하기도 했어요. 불쾌하지 않나요? 아마도 두세 번 정도 편지 왕래가 있었어요."

히가시야마는 이렇게 말하고 입술을 깨물었다.

"상대방 남자가 누군지 모르는 거죠?"

"알고 있어요. 정말 무례한 녀석인데, 나는 아직 만난 적은 없지만 미야코를 자신이 데리고 가서 돌보겠다는, 말도 안 되게 건방진 편지를 보냈어요."

이렇게 말하고 옆방으로 가서 서랍을 열고 닫더니 편지 두세 통을 가지고 돌아왔다. 그는 떨리는 손으로 봉투에서 편지를 꺼내서 읽더니 몹시 분개했다.

"'미야코 씨의 근황을 들을 때마다 저는 안타까워서 잠자코 보고 있기가 힘듭니다. 부디 저에게 보내주세요. 어차피 완쾌될 희망이 없다면 적어도 마지막 몇 개월, 아니 며칠만이라도 마음껏 즐기게 해주고 싶어요.'

뭐 이런, 히나코 씨, 정말 어이없는 남자 아닌가요? 미야코를 마치 자기 것이라도 되는 것처럼 말하고 있으니 비상식적인 것도 정도가 있지, 미친 남자예요."

"여기에 뭐라고 답했어요?"

"그냥 내버려뒀어요, 당연히."

"마지막으로 편지가 온 건 언제예요?"

"며칠 전입니다. 그냥 내버려뒀더니 어젯밤에 미야코가 사라졌어요."

"미야코 씨는 어느 방에 있었나요? 병이 위중했으면 간호사도 같이 있었겠죠?"

"간호사도 그 성질머리에 질려서 사흘을 견디는 사람이 없었어요. 너무 자주 바뀌니까 동네 사람들 보기도 체면이 말이 아니어서 더 이상 쓰지 않았어요."

"그러면 누가 돌본 거예요?"

"글쎄, 특별히 누구라고 정해두지는 않았어요. 손이 비는 사람이 챙기기로 했는데, 정원 별채에 있는 다실을 미야코의 방으로 만들었어요. 어젯밤에는 손님이 있었는데, 늦은 밤에 폭우가 쏟아졌잖아요? 미야코는 별

써 잘 테니까 내일 아침 일찍 가보면 될 거 같아서 아무도 가보지 않았어요. 미야코는 어젯밤에 처음으로 방에서 혼자 있었던 겁니다."

"미야코 씨의 실종은 오늘 아침에 알게 된 거네요. 손님이 와서 어수선했다면 초저녁인지 심야인지 실종된 시간은 확실하지 않고요."

"네. 하지만 그 몸으로 스스로 사라질 리는 없으니 편지의 남자가 데려간 것만큼은 틀림없어요. 아무것도 모르는 우리가 협상을 해서 돌려줄 만한 녀석이 아닙니다. 어차피 목적은 알고 있어요. 두고 보세요. 곧 막대한 몸값을 요구할 테니까. 경찰에 맡기면 바로 해결되겠지만 세간에 알려질 위험이 있어요. 신문에라도 실리면 곤란하니까요. 그래서 당신은 여성이기도 하고 사립탐정이니 부탁드리는 거예요. 세상에 알려지지 않도록 깔끔하게 그의 손에서 미야코를 되찾아주세요. 하지만 그 사람도 만만치 않은 녀석이니 주의하지 않으면 오히려 당할지도 몰라요. 주소는 여기에 쓰여 있어요."

이렇게 말하며 그는 봉투를 건네주었다. 나는 보낸

사람의 이름을 보고 깜짝 놀랐다. 그 사람은 지금 큰 인기를 끌고 있는 가수, 거기다 세상의 평판도 아주 좋은 청년이었다.

2

다음 날 나는 그 청년의 집을 방문했다.

그는 조금도 주눅 들지 않고 나를 응접실로 안내하며 "오늘쯤 히가시야마 씨가 데리러 올 거라고 생각했어요" 하고 말했다.

청년은 아름다운 남자였지만 나이보다 훨씬 늙어 보였다. 하지만 히가시야마가 상상하는 것 같은 대단한 남자도, 나쁜 사람도 아니었다. 오히려 온화하고 연약해 보였다.

나는 과감하게 처음부터 탁 터놓고 말을 시작했다.

나는 "짐작하신 그대로입니다. 부인을 데리러 왔습니다" 하고 말하며 명함을 내밀었다. 청년은 그걸 힐끗 보더니 말했다.

“저는 처음부터 제 이름을 밝히고 협상을 했어요. 그런데 히가시야마 씨가 상대를 해주지 않았기 때문에 이렇게 돼버렸습니다. 납치라고 한다면 온당하지 않지만 상황에 따라서는 제가 범죄자가 될지도 모르겠습니다. 지금은 일분일초를 다투는 때이기에 거칠게 할 수밖에 없었지만, 특별히 무리한 요구를 한 적도 없고 이것이 탐정에게까지 부탁할 필요가 있는 일인지도 모르겠습니다.”

그래서 나는 나와 히가시야마와의 관계를 설명하고 그가 내게 특별히 의뢰를 한 이유는 세간에 알려지지 않고 만사를 조용히 해결하기 위해서라고 설명했다. 그렇기 때문에 이대로 순순히 부인을 돌려주면 히가시야마가 나서서 세상에 이 일을 알릴 생각은 털끝만큼도 없으니 그 점은 안심해도 좋다고 말했다.

“히가시야마 씨의 호의에는 감사드리지만, 돌려드리는 것만큼은 조금 더 기다려주세요. 결국에는 돌려드리겠지만…….”

“그건 곤란해요. 그러니까 히가시야마 씨는 세상 사

람들 입에 오르내리는 걸 극도로 두려워해요. 지금이라면 누구에게도 들키지 않고, 또 누구도 상처받지 않고 끝날 거예요. 하지만 이 사태가 길어지면 자연스럽게 세상에도 알려질 것이고, 친척들도 시끄러울 것이고, 그렇게 되면 조용히 넘어가기가 힘드니 철저하게 대응할 수밖에 없어요. 경찰 손으로 되찾게 되면 자연스럽게 죄인도 생기겠죠. 일이 악화되기를 바라지 않는 히가시야마 씨로서는 그것이 죽는 것보다 괴로운 일이니 그 점을 좀 알아주시면 좋겠습니다."

청년은 형언할 수 없는 비통한 얼굴로 가만히 팔짱을 끼고 생각에 잠겼다.

"어떻게 하시겠어요?" 하고 나는 그의 대답을 재촉했다. 청년은 돌처럼 가만히 앉아 있었다.

"그냥 돌려주는 것이 당신을 위해서도 좋아요."

그러자 그는 자세를 고쳐 앉고 굳은 얼굴로 말했다.

"당신이 보기에는 분명 제멋대로인 놈 같을 테고, 다른 사람의 부인을 납치하다니 비상식적인 바보처럼 보이겠죠. 하지만 여기에는 한 가지 이야기가 있습니다.

부디 들어주세요. 아니, 그 전에 미야코 씨가 무사한 모습을 보고 안심할 필요가 있겠네요."

"네, 꼭 보게 해주세요."

"그러면 저와 같이 가시지요. 만나서 실망하지 않도록 미리 말해두면 미야코 씨는 이미 자기 자신을 잃었어요. 가끔 정신이 돌아오기도 하지만, 그녀는 자신이 히가시야마의 부인이라고도, 미야코라고도 생각하지 않아요."

"그렇다는 건?"

"그 사람은 꿈을 꾸고 있어요. 자신을 진짜 동백꽃 아가씨라고 생각하면서……."

"동백꽃 아가씨라고요?" 하고 나는 어이없는 표정으로 그를 쳐다봤다.

청년은 안쓰러운 표정으로 말했다.

"꿈속 세계에 있는 것이 그녀에게는 가장 큰 행복이에요. 일본의 동백꽃 아가씨로 불렸을 때부터 '일본의' 같은 건 싫다고 자신은 진짜 동백꽃 아가씨가 되고 싶다고 말했어요. 병에 걸리고 정신이 이상해지면서 소설속 주인공이 되어버린 것 같아요. 그것이 그 사람이 오랫동안 원하던 거니까요. 그 이상이 실현된 지금, 미야코 씨에게 이 이상으로 행복한 생활은 없어요. 실로 최고의 행복에 빠져 있는 거죠. 이것이 제가 조금 더 미야코 씨를 데리고 있게 해달라고 말씀드린 이유입니다. 다시 차가운 현실 세계로 데리고 온다면 미야코 씨가 너무 불쌍해요. 언제까지나 꿈을 꾸다가 꿈을 꾸는 상태로 이 세상을 떠나게 해주고 싶습니다."

청년은 이렇게 말하고 눈을 닦았다.

"지금의 히가시야마 씨는 미야코 씨에게 완전히 질렸어요. 그저 사람들에게 체면이 서는 것에만 정신이 팔려 있죠. 미야코 씨의 마음 같은 건 헤아려주지 않으니까, 그런 차가운 사람에게 다시 보낸다는 게……."

나는 청년의 뒤를 따라 안쪽 방으로 들어갔다. 입구에는 두꺼운 벨벳 커튼이 달려 있었고 그 틈으로 보이는 방 안은 깜짝 놀랄 정도로 아름다웠다. 생화에 둘러싸인 침대 앞에는 순백의 레이스 침대 커튼이 반 정도만 묶여 있었는데 그녀의 지친 얼굴에 직접 햇빛이 닿지 않도록 고민한 것으로 보였다. 작지만 더 이상 좋을 수 없을 정도로 아름답고 훌륭한 방이었다. 그 방에서 미야코는 레이스가 달린 깃털 베개를 만족스럽게 옆으로 베고 있었다.

청년의 발소리에 살짝 눈을 뜬 미야코는 그를 향해 양팔을 벌렸다. 그는 달려가 무릎을 꿇고 그 가는 손을 잡고 입을 맞췄다.

미야코는 빨간 깃털 이불을 밀어젖히고 상반신을 일으키려다가 다시 무너지듯 누워버렸다. 그녀는 예쁜 자수를 놓은 옥색 가운을 입고 있었다. 가슴에는 동백꽃 한 송이가 꽂혀 있었다. 침대 아래쪽에서 대기하고 있던 소녀가 뛰어와 조심스럽게 이불을 덮어주었다. 그는 그 소녀를 미야코의 시녀라고 소개했다. 그 시녀도 고풍스러운 서양식 옷을 입고 시치미를 떼고 있었다.

"이 방 안에서는 24시간 동백꽃 아가씨가 연출되고 있어요. 저도 한 역할을 하고 있죠" 하고 청년이 진지하게 말했다.

세상과는 단절된 이 방은 미야코가 동경하는 그 세계

인 걸까. 미야코뿐만 아니라 청년까지, 아니 시녀까지 어쩐지 정신이 이상한 것 같았고 그곳 공기까지 미쳐버린 것 같은 느낌이 들었다. 나까지 어느샌가 점점 빨려 들어갈 것 같아 급하게 방을 뛰쳐나왔다.

3

응접실로 돌아가 안도의 숨을 내쉬고 있는데 뒤를 따라온 청년이 내 맞은편 의자에 앉아 조용히 말을 꺼냈다.

"이야기는 20년 전으로 거슬러 올라가야 합니다. 친척이라고는 하나도 없는 미야코는 살기 위해 밤의 여자가 되었습니다. 그것 외에는 길이 없었습니다. 밤마다 거리로 나가 손님을 잡아야 했습니다. 어느 눈 오는 추운 밤에 공교롭게도 손님이 하나도 없었는데, 그때 그녀는 누구의 아이인 줄도 모르는 갓난아이를 낳은 지 얼마 되지 않아, 물론 아이는 그대로 산원에 맡겼지만, 수입도 없이 젖이 붓는 것 때문에 힘들어했습니다.

밤은 점점 깊어갔습니다. 눈도 점점 더 많이 내렸죠. 더 이상 장사는 안 되겠다고 포기하고 돌아가려고 하는

데 문득 사람의 모습이 보였습니다. 키가 작아 난쟁이처럼 보이는 남자가 망토를 입고 터벅터벅 걷고 있었습니다. 이런 상황에서는 난쟁이든 뭐든 남자이기만 하면 되는 거였죠.

그녀는 쫓아가서 뒤에서 말을 걸었습니다.

'저기, 눈이 이렇게 내리는데 어디 가? 우리 집에 같이 가지 않을래? 따뜻한 홍차를 줄게. 위스키도 있어. 놀다 가. 응?' 하고 말하며 어깨에 손을 얹어 얼굴을 들여다봤는데 자기도 모르게 놀라 뒷걸음질을 쳤습니다.

10세 정도 된 소년이었기 때문입니다.

미야코는 추위와 배고픔으로 떨고 있던 그 소년을 자신의 아파트로 데리고 왔습니다. 거기까지는 좋았지만 그 소년에게 줄 것이 하나도 없었습니다. 홍차도 위스키도 입에서 나오는 대로 한 말이었기 때문에 10전짜리 은화를 넣고 한시적으로 들어온 가스불에 물을 끓여 마실 수밖에 없었습니다.

둘은 뜨거운 물을 같이 마셨습니다. 그리고 너무 추웠기 때문에 이불 속에 들어가 껴안고 있었습니다. 그

때 미야코에게 갑자기 어떤 생각이 떠올랐습니다.

미야코는 '지금 내가 너무 아파서 그러는데, 네가 내 모유를 먹어주지 않을래?' 하고 말하고 앞을 드러냈습니다. 사흘이나 먹지도 마시지도 못하고 길을 헤매던 소년은 정신없이 그녀의 젖을 빨았습니다. 그녀는 편하게 잠들 수 있었고, 소년도 오랜만에 배가 불러 기분 좋게 푹 잘 수 있었습니다.

소년은 그날 밤부터 미야코의 집에서 신세를 졌습니다. 날이 어두워지면 그녀는 돈을 벌기 위해 나갔고 돌아올 때는 항상 지폐를 쥐고 있었습니다. 그 돈으로 두 사람은 음식을 사 먹었습니다.

꼭 열흘째 되는 밤이었습니다. 미야코는 왠지 오늘은 돈을 많이 벌 수 있을 것 같으니 선물을 많이 사오겠다고, 기다리라고 말하고 부리나케 집을 나섰습니다. 하지만 그 이후로 돌아오지 않았습니다. 그다음 밤도, 또 그다음 밤도, 소년은 다시 굶기 시작했습니다.

나중에 안 사실이지만 미야코는 운이 나쁘게도 매춘부 일제 단속에 걸려서 병원으로 보내졌던 것입니다.

그것이 소년이 11세 때의 일이었습니다.

병원에서 그녀의 친구가 돈을 가져다주러 갔을 때 이미 소년은 그 아파트에 없었습니다.

그 이후로 미야코와 소년은 헤어지게 되었습니다.

수년이 흘러 소년은 일본의 동백꽃 아가씨로 유명해진 그녀를 보게 되었습니다. 한 번은 가부키좌의 입구에서 봤는데, 정말 공주처럼 예뻤습니다. 그리고 또 한 번은 스가와라 요시미의 오페라 〈동백꽃 아가씨〉를 보러 갔을 때입니다. 항상 부자로 보이는 신사들에게 둘러싸여 있어서 멀리서 바라볼 뿐, 말을 거는 것은 물론 가까이 갈 수도 없었습니다. 그는 어떻게 해서든 만나서 아파트에서 베풀어준 호의에 대해 감사의 뜻을 전하고 싶었지만 도저히 기회가 생기지 않았습니다.

그녀의 인기는 길게 이어졌지만 결국 히가시야마 하루히코의 첩으로 들어간다는 소문을 듣고 그는 실망했습니다. 동백꽃 아가씨로 계속 있다면 또 몰라도 한 가정으로 깊이 들어가 버리면 다시 만날 기회가 절대 없을 것입니다. 그러면 그가 평생 잊으려고 해도 잊을 수 없는 아파트에서의 열흘간의 은혜를 갚지도 못하고 끝내야 합니다. 그 생각을 하면 그는 창자가 끊어질 것 같았습니다.

그 후 1년이라는 시간이 꿈결같이 흘러갔고, 그다음 해에 정말 우연히 한 무용발표회의 복도에서 스치게 되었습니다. 이 우연이야말로 하늘이 주신 기회였기 때문에 놓쳐서는 안 된다는 생각에 용기를 내어 그녀의 앞에 나섰습니다. 두 사람은 손을 맞잡고 기뻐했습니다. 그런데 이때 그녀는 슬픈 표정으로 지금의 생활이 굉장히 불행하다고 털어놓으며 그에게 제발 구해달라고 울면서 부탁했습니다.

그때쯤부터 병은 그녀의 육체를 잠식하기 시작했지만, 병상에 쓰러질 때까지 히가시야마는 한 번도 의사를 부르지 않았다고 합니다.

다실로 병실을 옮기고부터 그녀의 생활은 참으로 비참했습니다. 겉만 번지르르한 그곳은 감옥과 같았으니까요.

몇 번이나 탈출을 시도했는지 모릅니다. 그사이 그녀

는 점차 몸의 자유를 잃어갔고 병마는 본격적으로 육체를 좀먹기 시작했기 때문에 어찌할 방도가 없었어요.

생각다 못한 그녀에게 편지를 받은 것이 바로 그때쯤이었습니다.

그는 결심을 하고 그녀를 빼앗았습니다. 그 결과가 어떻게 될지 생각할 여유도 없었어요. 살날이 얼마 남지 않았다고 들었으니까요. 적어도 죽기 전 얼마간이라도 그녀를 진심으로 기쁘게 해주고 만족시켜 주고 싶다는 그 마음뿐이었습니다."

청년은 말을 끝내고 한숨을 쉬었다. 그리고 "이제 그녀가 기쁜 마음으로 떠날 수 있게 해주시겠습니까?" 하고 얼굴을 돌렸다.

나는 그래도 데리고 돌아가겠다고 말할 수 없었다. 모든 책임을 질 테니 미야코의 상태가 조금 좋아질 때까지 기다려달라고 히가시야마에게 부탁했다. 미야코는 지금 움직일 수 없을 정도로 심각한 상태라고 말하며 무리하게 설득했다.

히가시야마는 아는 친척이 있는 곳에 미야코를 입원

시켰다고 사람들에게 말했다.

나는 청년의 말을 믿고 소식을 기다렸다. 보름 정도 지나 가랑비가 내리던 어느 날, 그가 나에게 차를 보냈다.

그는 현관에서 나를 맞으며 갑자기 "약속대로 돌려드리겠습니다" 하고 말을 꺼냈고 미야코의 방으로 안내했다.

눈에 익은 아름다운 방으로 한 걸음 들어서니 침대 위에 하얀 천으로 얼굴이 덮인 미야코가 보였다.

"오늘 아침 8시에 숨을 거뒀습니다" 하고 그가 고개를 숙였다.

나는 하얀 천을 걷어 얼굴을 봤다. 편안하게, 마치 잠들어 있는 것 같은 아름다운 얼굴에 미소가 흐르는 것을 보니 왠지 가슴이 뭉클했다.

미야코의 가슴에는 여전히 동백꽃 한 송이가 꽂혀 있었다. 나는 병원에서 데리고 온 것처럼 미야코의 시신을 히가시야마의 집으로 옮겼다.

(1948년 5월)

사라진 영매

1

"혹시 그 미스테리한 사건 기억하십니까? 미인으로 유명한 고미야마 레이코라는 영매가 어느 부잣집에 초대되어 방문했다가 돌아오는 길에 연기처럼 사라진 사건!"

"아, 기억하죠. 벌써 10년 가까이 되지 않았나요? 그 당시에 아주 세상이 떠들썩했죠. 결국 미제 사건으로 남았죠?"

"예, 그렇게 됐죠. 그런데 워낙 미인이었던 데다 심령 연구가들에게는 보물처럼 소중했던 여성이었는지 지금까지도 그들 사이에서는 종종 이야기가 나오나 봐요."

"그렇겠지요. 영매라는 게 우리 같은 사람들에게는 마법사나 무당처럼 조금 허무맹랑하게 들리니까요. 갑자기 사라져버렸다니, 옛날 같았으면 '귀신이 잡아갔다'

라고 했을 텐데……. 실제로는 어떻게 된 걸까요?"

"사실 그 이야기를 하려고 합니다. 몇 년째인지는 정확히 모르겠지만, 바로 오늘이 그 여성이 행방불명된 날이라고 합니다. 몇 년 전 오늘, 로쿠조 마쓰코 부인의 기일을 맞아 그녀를 기리는 사람들이 모여 추도회를 열었어요. 그 자리에 고미야마 레이코가 초대되어, 부인의 영을 불러 완전히 빙의되었다고 해요. 일본 전통 시 와카를 읊어 사람들을 놀라게 했고, 죽기 전까지의 로쿠조 백작가 사정을 알고 있었지요. 흥미로운 이야기는 이제부터입니다. 그날 밤은 안개가 짙어서 가로등이 있어도 뿌옇게 흐려서 길거리가 마치 바다 같았다고 합니다. 로쿠조 씨의 대문을 나선 고미야마 레이코의 모습은 안개 속에 빨려 들어간 듯 홀연히 사라졌고 그 길로 소식이 끊겼습니다."

서재의 안락의자에 풀썩 앉은 S부인이 담배 연기를 내뿜더니 눈으로 좇으며 감회가 새롭다는 듯 말했다.

"왜 갑자기 이런 이야기를 꺼내는지 의아할 겁니다. 실은 이 사건을 계기로 저는 탐정이 되었습니다."

한 사건을 일단락 짓고 기분이 좋아진 S부인은 자신이 탐정에 흥미를 품게 된 최초의 사건에 대해 내게 말하고 싶어진 것이다.

2

상당히 과거로 거슬러 올라가서, S부인의 남편이 샴(지금의 태국) 정부의 고문관으로 근무하던 때의 이야기다. 그 무렵 S부인도 남편을 따라 샴에 갔고 그곳에서 2~3년을 보냈다.

"그때쯤의 일이었지요. 이 사진이 그 무렵에 찍은 거예요."

책상 앞 벽에 걸린 커다란 사진을 가리키며 부인이 말했다. 사진에는 칠이 벗겨진 건물을 등지고 돌계단 위에 대여섯 명의 남자가 서거나 앉아 있었다.

"가운데 서 있는 뚱뚱한 남자가 제 남편이에요. 그 옆에 차양 모자를 들고 서 있는 사람이 앞으로 할 이야기의 주인공이니까 눈여겨봐 주세요."

30대 중반 혹은 40대 초반인지 모르겠다. 한참을 굶은 사람처럼 깡말라서 나이를 짐작할 수 없었기 때문이다. 자세히 보면 기품이 있고 갸름하여 상당히 아름다운 얼굴이지만 인상은 좋지 않았다. 뾰족한 코, 무섭고 신경질적인 눈초리에 음산한 표정이다. 그 표정을 물끄러미 보고 있노라니 왠지 나까지 기분이 처지고 스산해지는 것 같았다.

"이 사람은 누구입니까?"

"가쓰다 남작의 남동생이에요."

"아, 오사카의 그 유명한 가쓰다 남작?"

"맞아요. 오사카 가쓰다 은행의 그 가쓰다요. 그런데 남동생은 도쿄에 살았어요."

그러고 보니 신문에서 본 가쓰다 남작의 얼굴과 똑 닮았다.

S부인이 조용히 이야기를 시작했다.

지금은 이미 완전히 알려졌지만, 그 당시만 해도 샴은 야만적인 미개지였어요. 호기심이 많은 저 같은 사람에게는 모든 것이 신기하고 재미있는 곳이었지만요. 한번은 이런 일이 있었어요. 중국인 거리의 무뢰배가 잿날에 악어사원(Crocodile Monastery)에 제를 올리러 갔다가 싸움이 나서 상대편 남자를 악어가 있는 연못에 던져버렸다고 해요. 연못에 빠진 남자는 나오지 못했고요. 그 일이 유명해져서 악어사원을 방문하는 사람이 늘었다고 해요. 어느 나라나 구경꾼은 있더군요. 그래서 저도 구경하러 서둘러 나가보았어요.

상당히 세월의 흔적이 엿보이는 사원이었는데, 정원에는 크고 오래된 연못이 있었고 악어 대여섯 마리가 보였습니다. 악어 때문에 '악어사원'이라고 불리지만 진짜 이름은 따로 있다고 해요. 물이 진흙탕처럼 탁해서 연못 속은 보이지 않았습니다. 잠시 서서 수면을 바라보고 있는데 연못 한가운데쯤에 잔물결이 일더니 악어가 불쑥 얼굴을 내밀었습니다. 아무리 대낮이라도 악어를 보는 게 기분 나빠서 뒷걸음질 쳤는데, 뒤에 와 있는지 몰랐던 신사와 하마터면 부딪힐 뻔했습니다.

병자처럼 깡마르고 큰 키에 종잇장처럼 가는 어깨가

앞으로 구부정하고 창백한 낯의 35세 정도 되어 보이는 일본인이었습니다. 곱게 자란 도련님처럼 기품이 있어서 누가 봐도 좋은 사람이라 여길 듯한 인상이었어요. 제가 조심성 없기도 하고, 타지에서 만난 일본인이 반가워서 스스럼없이 웃으며 꾸벅하고 인사했습니다. 그는 한동안 말없이 제 얼굴을 쳐다보다가 뒤늦게 눈치챘다는 듯이 딱딱하게 인사를 하고는 그대로 발길을 돌려 유유히 건너갔습니다.

심한 모욕을 당한 기분이 들었습니다. 집에 돌아와 남편에게 그가 누구인지 아느냐고 물어보니, 오사카의 가쓰다 남작의 아우라고 하더군요. 건강이 안 좋아서 요양 겸 유럽에 쉬러 갔는데, 아무래도 생각대로 되지 않아 일단 귀국하기로 했다나 봐요. 그런데 싱가포르까지 왔다가 갑자기 마음이 바뀌어 외교관으로 근무 중인 친구도 만날 겸 기분 전환 삼아 샴에 와서 지낸다고 해요. 그러고 보면 샴이라는 나라는 마음이 편안해지는 곳이잖아요? 그 태평스러움이 마음에 들었는지 완전히 눌러앉은 것 같다며 남편이 부러운 듯이 말했어요.

샴은 세계적인 불교국가로 어떤 고귀한 사람이라도 남자는 일생에 한 번은 반드시 불문에 들어가 승려가 되는 관습이 있습니다. 속죄를 하는 사람도 있을 텐데, 개중에는 미인으로 유명한 어느 외교관 부인을 만나고 싶어 승려로 분장해 들어갔다는 일화도 있습니다. 그 남자는 기어이 외교관 부인을 찾아가 시주를 받았다고 해요. 그런 이야기가 돌 정도로 불문에 들어가는 것은 일반적인 관습이었습니다. 제가 가쓰다 씨를 두 번째로 만난 것은 악어사원에서 마주친 지 열흘째 되는 날 저녁이었어요. 현관에 탁발승 한 명이 황색 천을 걸치고 맨발로 서 있었습니다. 시주를 하러 나왔다가 그제야 가쓰다 씨란 걸 알아보았어요. 그 모습이 너무 의외여서 저도 모르게 "어머! 보기 좋은데요?"라고 말해버렸지요. 그러자 가쓰다 씨는 면목 없다는 듯 멋쩍게 웃으면서 "미안합니다. 너무 심심해 장난 삼아서……"라고 말했습니다. 지루하다면서 자꾸 대사관에 놀러 오라고 하는 겁니다. 외교관 친구는 독신이고, 관사 직원 중에도 아내를 데려온 사람은 한 명도 없답니다. 여느 때처럼 어디 가지도 않고 가만있던 어느 날, 외교관 친구가 제 남편에게 "공사관에는 사내놈들뿐이라 가쓰다로서는 억세서 기가 안 맞을 거야. 정적인 분위기의 교류가 그리울 테니 자네 부인한테는 미안하지만, 가끔 말동무가 되어달라고 자네가 말 좀 해주게나"라고 말했다는 거예요.

연유를 알게 된 저는 "그럼 언제든 집에 놀러 오세요"라고 했고 이후로 종종 그의 말동무가 되어주었습니다.

가쓰다 씨는 신경쇠약이 심했는데, 의학적인 지식이 없는 제 눈에도 뭔가 몸 전체가 완전히 약해져 있는 듯 보였어요. 아무래도 끔찍이 사랑했던 부인을 잃고 잠시 눈이 확 돌아버린 게 아닐까 싶을 정도였지요. "저는 완전히 염세주의자가 되었나 봅니다. 이 세상에 아무런 희망이 없는 것 같아요"라고 말한 적도 있습니다.

가쓰다 씨의 부인은 상당한 미인이었는데, 심장병으로 27세의 젊은 나이에 눈을 감았다고 해요. 부인이 죽었을 때 크게 낙담한 나머지 따라 죽으려고 했는데, 집안사람에게 그 시도를 들켜버려서 내내 감시받는 처지가 되었다더군요.

“우리 같은 귀족들은 가문을 더럽히는 일을 극도로 두려워합니다. 무엇보다도 명예를 중요시하니까요. 사람보다도 집안이 우선입니다. 제가 병으로 죽는 것은 어쩔 수 없는 일이지만, 자살은 곤란하다는 거지요. 왜냐하면 사람들의 입방아에 오르내릴 테니까요. 게다가 정신이 이상해져서 자살했다고 신문에 나기라도 했다가는 그날로 집안 혈통에까지 누를 끼친 사람으로 낙인 찍힐 거예요. 뭐, 그래서 이른바 가문 보호를 위해 감시 당하는 처지이지요.”

가쓰다 씨가 흥분해서 말했습니다. 이런 이야기를 할 상대로는 역시 저 같은 여성이 좋았을 겁니다. 어느새 저와 가쓰다 씨는 절친한 사이가 되었어요.

샴과 같은 열대국에서는 통상적으로 낮에 모두 낮잠을 자기 때문에 태양이 작열하는 오후 1~2시는 마치 한밤중같이 고요합니다. 하지만 불면증이 있어 밤에도 잠을 안 자는 가쓰다 씨가 환한 낮에 낮잠을 잘 리 만무합니다. 그래서 오후 그 시간에 저를 찾아왔는데, 어느새 가쓰다 씨의 오후 방문은 제게 일과가 되었습니다.

매사 예민한 가쓰다 씨는 천장에서 도마뱀이 떨어질까 봐 무서워서, 늘 베란다에 있는 모기장 안에 들어가 그곳에서 나와 잡담을 나누었습니다. 그런데 공포의 도마뱀은 자주 출몰했어요. 가쓰다 씨의 목덜미에 떨어지기도 했고, 문손잡이에 붙어 있는 걸 모르고 잡아버리기도 했지요. 그 차갑고 부드러운 느낌이 말할 수 없이 기분 나쁘다며 손이 새빨개질 정도로 빡빡 씻은 적도 있습니다. 너무 미안해서 기분을 풀어줄 요량으로 말했습니다.

"정말 소름 끼치게 차갑지요? 죽은 사람을 만지는 느낌 같지 않아요?"

제 말이 어떻게 들렸는지, 가쓰다 씨는 불쾌한 낯빛이 되더니 그대로 인사도 없이 홱 가버렸습니다. 저는 지금껏 그렇게 신경이 예민한 사람은 본 적이 없어요.

또 한번은 이런 일도 있었습니다. 물소가 들어가 있는 수로 곁을 함께 산책하고 있었습니다. 물가에는 이름 모를 잡초가 무성했는데, 구두 소리에 놀랐는지 대여섯 마리의 작은 뱀이 풀숲에서 빠져나와 수로로 스르르 들어가는 겁니다. 그중 한 마리가 밟혔는지, 꿈틀거리며 구두 끝에 엉겨 붙어 저도 모르게 가쓰다 씨에게 매달렸습니다. 그러자 가쓰다 씨도 뭔가 무서운 것이라도 본 것처럼 매달린 저를 억지로 뿌리치며 쏜살같이 뛰어가 버렸습니다. 나중에 듣고 보니, 내가 뱀을 밟은 걸 보고 놀란 게 아니라 그저 제 비명에 혼비백산했다더군요.

놀란 가슴을 겨우 진정시키고 주변을 보니, 가쓰다 씨는 양손으로 귀를 막고 눈을 감은 채 새파랗게 질려 떨고 있었습니다. 제가 지른 비명이 가쓰다 씨의 신경을 자극했나 싶어서 면목이 없었습니다.

"미안해요. 너무 무서워서 저도 모르게 그런 소리를 내버렸어요."

변명하듯 사과하니 가쓰다 씨는 낮은 목소리로 소름 끼친다는 표정으로 속삭였습니다.

"어떻게 그런 소리를 다 낸답니까? 정말 싫다……."

가쓰다 씨의 공포가 심상치 않았어요.

"하지만 저도 제정신이 아니었어요. 정말 죽는 줄 알

았다고요. 사람이 죽을 때 그런 소리를 낼지도 몰라요."

가쓰다 씨 반응이 좀 과하다 싶어서 농담으로 무마하려고 했지요. 그런데 제 말을 어떻게 받아들인 건지 가쓰다 씨는 꼼짝하지 않고 나를 노려보다가 갑자기 몸을 부들부들 떨었습니다. 그러더니 "어쩐지 으슬으슬하고 기분이 나빠졌습니다"라고 말하고는 혼자서 냉큼 가버렸습니다. 어안이 벙벙해진 저는 한참 동안 그 뒷모습을 바라보았습니다.

'아무리 신경쇠약이 심하다 해도 저래서는 완전 광인(狂人)이잖아. 외교관의 부탁으로 사귄 말동무라지만, 제멋대로 구는 것도 정도가 있지.'

가쓰다 씨의 태도에 불쾌감을 느끼며 조용한 길을 혼자 되돌아왔습니다.

이윽고 망고와 샤워의 계절이 지나고 애타게 기다리던 우기가 다가왔습니다. 그렇지 않아도 건강이 안 좋은 가쓰다 씨에게 축축한 우기는 금물이었습니다. 그의 건강상 이 나라에서 긴 우기를 보내는 것은 무리였습니다. 그래서 결국 우리 부부와도 작별을 고하지 않으면 안 되었지요.

가쓰다 씨는 "아무리 기후가 제게는 안 좋아도, 불편한 땅이라 해도 저는 어쩐지 이 나라가 자유로워서 좋습니다"라고 입버릇처럼 말했습니다. 귀국 날짜가 정해지고부터는 어두운 얼굴로 틈만 나면 집에 와서 제 곁을 떠나지 않았습니다. 귀국일이 가까워질수록 점점 말이 없어지고 우울한 눈빛으로 한참을 뭔가 생각에 잠겨 있었는데, 그 모습이 제 눈에는 왠지 모르게 섬뜩하게 느껴졌습니다.

가쓰다 씨는 프랑스 선박으로 귀국길에 올랐는데, 외교관을 비롯해 주요 관사 직원들과 우리 부부는 항구까지 배웅을 나갔습니다. 그는 생각보다 활기찬 모습이어서 우리는 갑판에서 샴페인을 터뜨리며 출발을 축하했습니다. 그때 가쓰다 씨가 자신의 선실을 보여준다고 해서 따라갔더니, 여행용 가방에서 보라색 비단 보자기로 싼 것을 꺼내 제게 건네며 말했습니다.

"사실 기념으로 주고 싶은 물건이 있어서 이곳에 가

자고 한 거예요."

그는 건네받은 꾸러미를 풀려고 하는 나를 황급히 말리며 빠르게 말했습니다.

"아니, 안 돼요. 지금 보지 마십시오."

제가 손을 멈추고 바라보자 이어 말했습니다.

"이것은 당신을 믿고 제가 드리는 겁니다. 일본에 도착하면 전보할 테니 그 전보를 받으면 그때 개봉해주세요."

"알겠습니다. 말씀하신 대로 그때까지 보지 않을게요. 그 대신 곧바로 전보를 띄워주세요. 보지 말라고 하면 왠지 더 보고 싶어져서요. 도대체 뭐가 들어 있는 거람!"

나는 가쓰다 씨에게 마지막으로 호의를 베푼다는 마음으로 일부러 어린아이처럼 크게 기뻐하며 꾸러미를 그의 눈앞에서 흔들어 보였습니다. 가쓰다 씨는 그런 저를 아무 말 없이 웃으며 바라보았는데, 기분 탓인지 그 미소가 씁쓸해 보였습니다. 사람을 배웅하는 일은, 특히 그 사람이 배를 타고 떠나는 길이라면 상대의 마지막 모습이 계속 잔상으로 남아서 슬픕니다. 가는 팔로 모자를 흔들던 그의 모습이 눈에 아른거려 사라지지 않았어요.

집으로 가져온 꾸러미는 약속한 대로 뜯지 않았고 그 날로부터 20여 일이 지났습니다. 그리고 샴을 떠난 배는 무사히 싱가포르에 도착했고 그곳에서 우편회사의 유럽 항로 배편으로 갈아탄 가쓰다 씨가 홍콩에 도착하기 전날 밤 유서도 남기지 않은 채 의문의 투신자살을 했다는 보도가 있었습니다.

신문에는 그저 극도의 신경쇠약에 따른 결과라고 적혀 있을 뿐이었지만, 우리는 '올 것이 왔다'라는 생각이 들었습니다. 저는 가쓰다 씨가 준 비단 보자기 꾸러미를 곧바로 풀어보았습니다. 그 안에는 제게 쓴 편지와 다이아몬드 반지 하나가 들어 있었습니다. 그 편지는 지금도 소중히 보관하고 있습니다. 심하게 구겨져서 알아보기 힘들겠지만 한번 읽어보시겠어요?

이야기를 마친 S부인은 내게 장문의 편지를 건넸다.

3

S부인 귀하

악어사원에서 우연히 당신을 만나뵙고 나서부터 어떻게든 가까워지고 싶어서 무척 애썼습니다.

눈이 홀린 거라고, 마음이 홀린 거라고 몇 번이나 냉정하게 생각하고 다시 생각했지만 제가 홀린 것은 아닙니다. 당신은 정말 제 아내를 무척 닮았습니다. 당신과 이야기하고 있으면 아내가 되살아나서 저와 이야기를 나누는 것 같아 미치도록 좋았습니다. 당신과 헤어지는 게 싫었습니다. 언제까지나 곁에 있고 싶었습니다. 떠나고 싶지 않았습니다. 하지만 결국 작별의 순간이 오고 말았군요. 작별하기 전에 당신에게 제 비밀을 모두 고백하고 싶었습니다. 당신만은 저라는 인간의 좋은 일도 나쁜 일도 모두 알아주었으면 하니까요. 이 무서운 비밀은 제 몸을 이렇게 아프게 하고 괴롭히는 것으로도 부족해 생명까지 빼앗으려 합니다. 번민으로 고통스럽게 보낸 2년은 저를 폐인이나 다름없는 환자로 바꿔놓았습니다.

저는 언제 죽을지 모르는 처지입니다. 죽기 전에 당신에게만은 진짜 나라는 남자를 보여주리라 마음먹었습니다. 부디 정떨어진다고 내치지 말고 끝까지 읽어주시기를 바랍니다.

솔직하게 말하면 참으로 사내답지 못하게도, 저는 도저히 아내의 죽음을 받아들일 수 없었습니다. 한참 전으로 거슬러 올라가 이야기하겠습니다. 저는 아내가 학생일 때부터 알았습니다. 온갖 장애물을 해치우고 간절히 바라 마지않던 여자였습니다. 남자가 여자를 얼마나 깊이 사랑할 수 있는지 아시나요.

편히 쉬면 완쾌까지는 힘들더라도 더 살 수 있을 거라고 굳게 믿었지, 설마 죽으리라고는 꿈에도 몰랐습니다.

기침이 나와서 말하지 말라는 주의를 받았지만, 그날

밤에는 기분도 좋았고 조금 이야기를 나누었는데도 열도 오르지 않았지요. 저는 이 상태라면 한 달 뒤쯤엔 이타미로 요양을 하러 가도 될 것 같아서, 아내의 머리맡에 앉아 이타미에 가게 되면 어떻게 지낼지 이런저런 이야기를 해주었어요. 아내는 기뻐하며 제 이야기에 귀를 기울였습니다. 누가 보면 연인처럼 보였을 겁니다. 사실 조만간 이타미에서 아내와 단둘이 조용하고 편안한 생활을 보낼 생각을 하니, 신혼 때로 돌아가는 듯해서 기뻤습니다. 돌이켜보면, 그때 열이 오르지 않은 것은 이미 체력이 다해서 병마에 저항할 힘조차 없었던 것인데, 저는 아무것도 모르고 좋은 쪽으로만 해석하고 말았지요. 잠깐이라면 면회해도 괜찮다고 의사가 드물게 허락해주었는데, 그때 이미 의사는 더 이상 손쓸 방도가 없다고 판단했던 겁니다. 뭐, 나중에 '제가 미련이 남지 않도록 해주지 않았느냐'라고 말할 심산이었을 거예요. 그야말로 굶주린 아이에게 빵 한 조각 던져주는 마음으로 말입니다. 그것도 모르고 얼마나 기뻤던지…… 바보같이 말이에요. 오랜만에 아내와 마음 편히 이야기를 나누고 가벼운 발걸음으로 집에 갔습니다. 현관에서 신발을 벗고 있는데, 병원에서 전화가 걸려왔습니다. 아내가 위독하다는 전화였습니다. 정신없이 뛰어갔지만 제가 갔을 때는 이미 늦었습니다.

자다가 몸을 뒤척이던 아내는 갑자기 심장마비가 와서 고목이 쓰러지듯 그대로 숨이 멎었습니다.

1시간 전만 해도 그렇게 멀쩡한 모습으로 즐겁게 이야기를 나누었는데……. 갑자기, 느닷없이 영혼을 빼앗겨 버리다니……. 아무리 생각해도 믿을 수 없었습니다.

슬퍼하라든지 울어버리라든지 사람들은 쉽게 말하는데, 너무 슬플 때는 오히려 눈물이 나오지 않는다는 것을 처음 알았습니다. 망연자실하다는 말이 그때의 제 상태와 가장 잘 들어맞았습니다. 도저히 감당할 수 없어서 제 마음을 어찌할 바를 몰랐습니다. 모든 친족이 저를 위로해주었습니다. 어떤 사람은 아내를 칭송하고, 또 어떤 사람은 저를 동정하였지만 그런 겉치레 말 따위 들을 기분이 아니었습니다.

'내 처지가 되어보라지. 이 세상 무엇과도 바꿀 수 없을 만큼 사랑하는 아내를 죽음한테 빼앗겼어. 이제 두 번 다시 아내를 만날 수 없어. 나는 혼자 남겨졌다고! 죽은 사람보다 뒤에 남겨진 사람이 얼마나 비참할지 생각해봐! 그런데도 웃으면서 이야기할 맘이 들까?'

나는 밤샘하러 온 사촌들이 웃으며 잡담하는 자리에 뛰어들어 호통치고 싶다는 생각까지 들었습니다. 저는 혼자 서재에 틀어박혀 끼니도 거른 채 긴 의자에 누워 이틀이고 사흘이고 밤을 지새웠습니다.

"정말 그렇게 마음도 얼굴도 예쁜 사람이 없었어. 그런 사람이야말로 천국에 가지 않겠어?"

한 여자 사촌이 위로하며 건넨 말에 저는 못마땅한 듯 혀를 차며 노려보았습니다.

"닥쳐. 당신 따위에게 내 아내를 평할 권리는 없어!"

라고 말해주고 싶었습니다. 죽은 아내에 대해 이러쿵저러쿵 평하는 소리만큼은 화가 나서 들어줄 수가 없었습니다.

'아내는 내 사람이야. 누구의 사람도 아니야. 이제는 머릿속에서밖에 만날 수 없는 아내를 살포시 안아 어루

만져주고 싶어.'

저는 매일 아침 눈뜨는 게 귀찮았습니다. 꿈속의 아내는 언제나 다정하고 아름다웠습니다. 제게 밤은 점점 더 즐거운 것이 되어갔습니다. 한밤중에 곧잘 가위에 눌렸습니다. 눈떴을 때 베개가 젖어 있는 일도 자주 있었습니다.

'죽고 싶어. 그래, 나도 죽자.'

집안사람들이 보기에도 제 상태가 심상치 않았는지, 제가 아내 뒤를 따라갈까 봐 잠시도 시선을 떼지 않았습니다. 그래서 죽지도 못하고 지금껏 살아 있지만, 지금 와서 생각해보면 그때 자살하는 게 훨씬 좋았을지도 모릅니다. 그때 죽었더라면 이렇게 큰 죄를 범하지 않아도 되었을 테니까요.

비탄에 잠긴 저를 깊이 공감해준 친구가 한 명 있었습니다. 그 친구는 학창 시절부터 심령 연구에 관심이 있어서 늘 신비로운 이야기를 들려주었습니다. 평상시라면 비웃으면서 반농담조로 훼방 놓으며 들었을 텐데, 이제는 도저히 그럴 마음이 들지 않았습니다. 그 친구의 이야기만큼 제 마음에 와 닿는 게 없었기 때문입니다.

"사람은 죽지 않아. 육체는 없어진다 해도 영혼은 남아 있어."

이렇게 말하며 나를 위로해주었습니다.

"과학자 윌리엄 크룩스(William Crookes, 탈륨을 발견한 영국 화학자이자 물리학자로 심령학에 심취한 것으로 알려져 있다—옮긴이)도 믿었어."

강한 자신감에 찬 그의 목소리는 제 귓가에 계속 남아 사라지지 않았습니다. 그의 말에 따르면 영매(靈媒)를 통해 망자와 이야기할 수도 있고 영안(靈眼, 영적으로 분별할 수 있는 능력—옮긴이)이 뜨이면 눈앞에서 망자의 모습도 볼 수 있다고 합니다. 이 얼마나 훌륭한 구원인가요. 제게 그보다 더 기쁜 말은 없었습니다.

하지만 아직은 반신반의했기 때문에 친구가 보내준 영혼에 관련된 책을 탐독했습니다. 어디에 가면 그 영매라는 자를 만날 수 있는지도 조사해 알아냈습니다.

곧바로 뛰쳐나갔습니다. '만약 원하는 바를 이루지 못해도 괜찮아. 그러나 만에 하나 그런 일이 가능하다면……. 이보다 기쁜 일은 없을 거야.' 그렇게 생각하니 한시도 가만있을 수 없었습니다. 아무에게도 알리지 않고 몰래 아오야마 기타마치에 있는 그 집에 갔습니다.

주홍색 제사복을 입은 무당 같은 여자가 있을 줄 알았는데, 신주를 모신 방 같은 것도 없었고 그저 단정히 가르마를 탄 머리의 부인이 평범한 방에 평범한 복장으로 앉아 있었습니다. 그 옆에 작은 책상을 앞에 두고 고상한 백발 노인이 한 명 앉아 있었습니다. 그 사람을 '사니와'라고 부른다고 들었습니다. 이른바 심판관 같은 역할입니다.

저는 영매의 얼굴을 보고 깜짝 놀랐습니다. 우아하고 아주 아름다웠으며 죽은 제 아내를 똑 닮았기 때문입니다. 웃을 때 살짝 입이 호선을 그리는 것부터 이지적으로 빛나는 눈, 입꼬리에 작은 점이 있는 것까지 닮았습니다.

저는 사니와에게 아내의 영혼을 불러달라고 청했습니다. 영매는 눈을 감고 자세를 바로 하고 합장했는데, 잠시 후 완전히 태도가 달라지더니 아내와 닮은 모습이 되었지요. 그리움이 왈칵 밀려왔습니다. 영매의 몸에 아내의 영혼이 옮겨붙었다고 할까요. 몸놀림부터 목소리까지 아내의 생전 모습 그대로였습니다. 아내의 영혼은 제 손을 잡고 기뻐했습니다. 그 손이 무척 차갑고 섬뜩해서 오래도록 잊히지 않았습니다.

저는 이런저런 말을 걸어보았는데, 타인이라기보다 완전히 아내와 마주하고 있는 듯하여 벅찬 기쁨에 정신을 차릴 수 없었습니다. 이윽고 아내의 영혼이 떠나버린 후에도 저는 꿈을 꾸고 있는 것처럼 멍했습니다.

"이야기는 잘 나누셨나요?"

영매가 빙긋 웃으며 말했습니다. 아, 그 얼굴! 꿈에서 깼는데도 여전히 아내의 얼굴이었습니다. 저는 기쁨에 겨워 신비로운 영매에게 그저 깊은 감사를 표했습니다.

집에 가는 발걸음이 구름 위를 걷는 것처럼 가벼웠습니다. 그곳에 가면 언제든 아내를 만날 수 있다는 희망이 생기자 모든 게 잊히고 어느 정도 명랑해졌습니다. 집에 돌아와서도 조금 전 겪은 신비로운 일이 머릿속을 떠나지 않았습니다. 서재에 앉아 가만히 눈을 감으니 아름다운 영매의 얼굴이 눈에 선했습니다. 다음 날에도, 저는 또다시 길을 나섰습니다.

그다음 날에도, 다음다음 날에도, 저는 매일 영매를 찾아갔습니다.

"영혼을 자주 불러서 위로해주면 정화가 빨라집니다. 영혼을 위해서도 매우 좋습니다."

저도 기쁘고 영혼도 외로받는 말을 들으니 이 얼마나 좋은 일인가 싶었습니다. 그리고 계속 다니다 보니 아내를 잃은 외로움도 차츰 열어지는 듯했습니다.

영매를 찾는 것은 어느새 저의 일과가 되었습니다. 집을 나서는 것은 그곳에 갈 때뿐이었고 남은 시간에는 서재에 틀어박혀 아무도 만나지 않았습니다.

이제껏 상상한 적도 없던 이 신비로운 즐거움에 빠진 것은 저로서는 큰 기쁨이었지만 다른 사람에게는 절대 알리지 않았습니다. 만약 다른 사람이 이 사실을 알게 되면 뭐라고 할까요? '가쓰다는 미쳤어' 하고 비웃음거리만 될 뿐이지요. 실제로 미쳤는지도 모릅니다. 홀렸는지도 모릅니다.

하지만 홀렸어도 상관없습니다. 아내와 닮은 사람의 입으로 아내가 하는 말을 듣고 있는데, 그 이상 무엇을 바랄까요.

홀로 서재에 있을 때도 그랬지만, 때때로 영매와 주고받은 대화를 머릿속으로 곱씹다가 저도 모르게 웃음이 터질 때가 있었습니다. 집안사람들은 그런 제 모습이 이상해 보였는지 이상한 눈초리로 쳐다보았습니다.

하지만 그런 건 아무래도 좋았습니다. '나는 아내를 만날 수 있어!' 그 사실만으로 만족했으니까요. 그런데 날이 갈수록 점점 욕심이 생겼습니다. 그저 만나서 다른 사람을 매개로 이야기하는 것만으로는 도저히 만족되지 않았습니다. 적어도 영매(그녀의 이름은 2~3일 후에 알게 되었는데, 고미야마 레이코라고 합니다)와 단둘이 이야기하고 싶었습니다. 가능하다면 늘 곁에 두고 자유롭게 이야기하고 싶었습니다.

그런데 우연한 기회에 그 희망을 이루게 되었습니다. 집안 체면 운운하는 게 성가셔서 레이코를 만나러 갈 때는 가명을 사용했기 때문에, 그녀에게 집에 직접 와달라고 할 수는 없었습니다. 하지만 레이코도 독신이고, 저도 아내와 사별했기 때문에 여차하면 결혼해도 괜찮다고 생각했습니다. 다만 주변 사람들의 반응이 두려워서, 어떻게 하면 승낙을 받을 수 있을까 끊임없이 궁리했지요. 그러던 중 아내의 유품을 정리할 시기가 되어 아내의 옷장부터 자주 사용하던 물건들을 대강 훑어봐야 했습니다. 새삼 아내가 죽던 당시의 기억이 떠올라 적적해진 마음으로 하나하나 열어보며 살펴보았습니다. 아내가 즐겨 입던 평상복, 윤기 흐르던 머리에 꽂혀 있던 비취 장식 머리핀 등 하나같이 추억이 서려 있어서 떠나보낼 수 없을 것 같은 기분이 들었습니다.

"이렇게 빨리 유품을 정리하지 않아도 되잖아. 적어도 1년은 놔둬도 아무런 지장이 없을 텐데, 왜 이렇게 사람들은 모든 일을 빨리 처리하려고 하는 걸까."

푸념도 몇 마디 내뱉으면서 하나씩 자세히 들여다보다 보는데, 문득 허리띠 사이에 끼워져 있는 하얀 것이 눈에 들어왔습니다. 별 생각 없이 꺼내서 보니 하얀색 각봉투 편지였고 수신인에는 아내 이름이 적혀 있었습니다. 발신인의 이름은 없었지만 분명 남자 글씨였습니다. 그것도 꽤 오래된 것인지 곳곳이 바래 있었습니다. 저는 뭔가 봐서는 안 될 것을 발견한 것 같아서 봉투를 손에 든 채 망설였습니다. '볼까? 보지 말까? 아무 일도 없는 깨끗한 아내로 기억하고 싶다'라는 바람과 '뭐든 전부 알고 싶다'라는 욕망 사이에서 망설인 끝에 결국 봉투를 열었습니다. 그것은 아내의 사촌뻘인 해군에게서 온 편지였습니다. 그다지 의심스러운 글귀는 적혀 있지 않았습니다. 아무에게나 보여줘도 이러쿵저러쿵 말할 내용은 조금도 없었습니다. 언젠가 만나 차라도 한잔한 것 같았습니다. 하지만 아내는 제게 그를 만난 사실을 비밀로 했기 때문에 전혀 몰랐습니다. 단지 그것뿐이었지만 저는 뭐라고 해야 할까요, 글귀 이외에 뭔가 있을 것 같았습니다. 하얀 편지지를 들고 글자 뒤에 숨은 뜻을 읽어내려고 조바심을 냈습니다. 동시에 이 남자와 혼담이 있었다는 아내의 말이 떠올랐지요. 그 당시에는 대수롭지 않게 넘겼던 그 사실을 갑자기 대단한 사건처럼 기억에서 끄집어내었습니다. 그러자 한 번인가 만났을 때 본 남자다운 생김새까지 떠올라 괴로웠습니다. '이렇게 허리띠 사이에 몰래 숨겨준 것은 보통 사람에게서 받은 보통의 편지처럼 찢어버릴 수 없었기 때문이 아닐까?' 하고 아내의 마음을 여러모로 상상하며 번민에 휩싸였습니다. '뭔가 두 사람에게 말 못 할 비밀이 있었던 것은 아닐까?' 하고 의심했습니다. '내가 얼마나 열렬히 사랑해주었는데 서랍에 숨기고 열쇠로 잠가둬?' 여자의 주도면밀함이 미웠습니다. 그래서 잔혹하다고 생각하면서도, 레이코를 통해 아내의 영혼을 불러 이 일을 따지기로 했습니다. 그런데 공교롭게도 그날은 로쿠조 백작가의 초대를 받아 부재중이라는 겁니다.

저는 기질상 만날 수 없다고 하면 더욱더 만나고 싶어집니다. 특히 의심의 불씨가 지펴진 상황이라 더 그랬습니다.

'한시라도 빨리 진상을 알고 싶어. 그런데 부재중이다? 틀림없이 도망친 게 분명해.'

저는 아내와 레이코를 혼동하고 있었던 겁니다. 아,

그렇게 되니 더는 가만있을 수가 없었습니다. 끝내 레이코가 돌아올 때까지 기다렸고 상당히 늦은 시간이었지만 레이코를 저의 집에 데려왔습니다.

레이코는 '전부터 가쓰다 씨의 집에 한번 가보고 싶었어요'라며 기쁘게 동행했습니다. 이미 그때쯤에는 저와 그녀 사이에 일종의 친밀함이 있었습니다.

레이코라고 제 생각을 전혀 몰랐을까요? 저의 집은 적은 인원이 사는 데 비해 크고 특히 정원이 넓으며 연못 건너편에 차를 마시는 용도의 별채가 있어서 종종 친구를 초대해 다과회를 열고는 했습니다. 대문으로 들어와 현관 옆에 있는 사립문을 열고 정원을 통해 다실로 곧바로 가면 누구와도 마주치지 않을 수 있습니다. 저는 그녀를 그곳으로 안내했습니다. 이미 그 무렵에 저는 완전히 이상한 사람이 되어 있었기 때문에 집안 사람들과 교류도 없었고, 밤늦게 돌아와 안채에 들르지 않고 다실에서 밤을 새우는 일도 있어서 저를 수상히 여기는 식구들도 없었습니다. 따로 부르지 않는 한 여종의 출입을 막았기 때문에 그녀와 다실까지 가는 길이 수월했습니다.

하룻밤을 보내고 그다음 날에는 감기에 걸렸다며 여종에게 식사를 가져다달라고 하여, 하루 온종일 다실에 틀어박혀 레이코와 둘만의 세상을 즐겼습니다. 저는 아내의 영혼을 불러달라고 여러 번 부탁했는데, 어찌 된 영문인지 레이코는 싫은 내색을 비쳤습니다.

"당신은 제가 부인을 불러올 수 있는 영매라서 좋은 거고, 저한테는 아무런 흥미가 없는 거죠? 자꾸 저를 영매로만 대한다면 이렇게 당신과 함께 있을 필요도 없으니 돌아가겠어요."

번번이 투정을 부리며 영혼을 부르기를 거절했습니다.

'모처럼 집까지 데려왔더니, 이러면 소용없잖아. 곤란한걸.'

결국 이런저런 말로 달래서 겨우 영혼을 부르는 걸 승낙받았을 때는 밤이 꽤 깊어 있었습니다.

저녁부터 내린 비에 바람이 더해졌고 덧문을 두드리는 빗소리에 말소리를 빼앗겨가면서, 저는 아내와의 대화에 몰두했습니다. 첫 번째 질문은 역시 편지였습니다. 따져 묻는 제게 아내는 아무런 망설임도 없이 편지를 보낸 남자와 자신과의 관계를 술술 털어놓았습니다.

세상에 의혹만큼 끈질기고 무서운 힘을 가진 것은 없을 겁니다. 저는 그 무서운 힘을 못 이겨 마음이 혼란스러워져 반미치광이처럼 사실을 확인하려고 안달했습니다. 이 얼마나 바보 같은 생각입니까. 아내는 이미 이 세상 사람이 아닙니다. 그런데도 '그 사람의 몸과 마음을 모두 내가 꽉 쥐고 있었다'라는 걸 확인하고 싶어서 몸부림쳤습니다. 이 얼마나 한심한 일입니까. 개구리 소리도 바람 소리에 따라 다르게 들립니다(시끄럽게 우는 개구리 소리도 기분에 따라 좋게 들리거나 나쁘게 들리기도 한다는 뜻의 서양 속담—옮긴이). 주택가라고 해도 시외에 가까워서 주변은 조용했습니다. 눈앞에 있는 레이코는 갸름한 얼굴에 긴 속눈썹을 내려뜨리며 꿈꾸는 듯 두 눈을 지그시 감고 입가에 사랑스러운 미소를 띠며 옛 연인과의 이야기를 들려주었습니다. 미지근한 땀이 이마에서 흘러내렸습니다. 저는 점점 흥분해서 꼬치꼬치 집요하게 캐물었습니다. 하지만 진짜 제가 알고 싶은 핵심은 두려워서 도저히 물어볼 수 없었습니다. 핵심 주위만 더듬을 뿐이라 아무래도 핵심에는 다가가지 못했습니다. '진실이란 이렇게 무서운 것인가' 하고 절실히 생각했습니다. 레이코는 아무것도 모르고 태연히 저를 향해 재잘거렸습니다. 저는 순간적으로 숨이 멎는 줄 알았습니다. 온몸의 피가 머리로 쏠리기라도 한 건지 갑자기 오한이 들어 덜덜 떨리고 이가 딱딱 부딪혔습니다. 등불이 요동치는 것처럼 눈앞이 어두워졌다가 밝아졌다가 했습니다. 정신없이 일어나 레이코에게 덤벼들었습니다. 양손으로 레이코의 부드러운 목덜미를 잡고 힘껏 힘을 주었다는 것밖에 기억나지 않습니다. 동시에 그녀의 비명을 들었습니다. 마치 당신이 수로 옆에서 작은 뱀이 매달렸을 때 질렀던 비명과 같았지요. 지금도 귀에 달라붙어 떠나지 않습니다.

정신을 차렸을 때 이미 저는 실로 무서운 대죄를 저지르고 난 후였습니다. 백일하에 죄를 심판받아야 할 몸이 되어 있었습니다. 레이코는 축 늘어져 숨이 끊어져 있었습니다.

망연해진 저는 잠시 동안 무의식 상태에 빠져 슬픔도 없이, 두려움도 없이 무상무념으로 눈앞의 시체를 바라보았습니다.

잠시 그쳤던 비가 다시 내리기 시작했다. 멀리서 또 개구리가 울었습니다. 저는 이 개구리 소리를 지금도 잊지 못합니다. 마음이 가라앉자 두려움이 엄습했습니다.

처음에는 자수하기로 마음먹고 날이 새기를 기다렸는데, 문득 딸의 얼굴이 떠올랐습니다. 뒤늦게 말씀드리지만, 제게는 딸 하나가 있습니다. 딸아이는 본가인 가쓰다 남작의 가문을 잇기로 되어 있습니다. 가쓰다 가문에 아이가 없어서 태어나자마자 양녀로 입양되어 본가에서 자랐습니다. 곁에 없기 때문에 평상시에는 크게 신경 쓰지 않았는데, 갑자기 걱정이 되기 시작했습니다. 엄마를 닮아 예쁜 데다 양부모의 사랑을 듬뿍 받고 자라 구김살이 없고, 곧 거액의 부를 물려받아 남작 부인이 되어 전도유망한 앞날이 펼쳐지겠지요. 그런데 제가 자수하게 되면 딸아이의 미래는 완전히 뒤집히겠지요. 행복의 절정에서 불행의 구렁텅이로 떨어질 딸아이를 생각하니, 저는 찬물을 뒤집어쓴 듯 정신이 확 들었습니다. 어처구니없고 광기 어린 요즘의 행실, 심지어 방금 저지른 무서운 죄까지……. 너무도 염치없어서 살 수가 없었습니다. 책상 서랍에는 모르핀인 암프레나비르(Amprenavir)가 들어 있었습니다. 칼모틴(Calmotin, 냄새가 없는 흰색의 결정성 가루로 진정 및 최면 작용이 있어서 불면증, 신경쇠약, 구토, 천식 따위를 치료하는 데 쓰인다—옮긴이)도 있었습니다.

하지만 지금 제가 죽어버리면 세상 사람들은 뭐라고 할까요? 미인 영매와 동반 자살……. 아, 그것만은 참을 수 없습니다.

번민하다? 괴로워하다? 글쎄요, 세상의 어떤 말로도 그날 밤의 제 마음을 표현할 수 없습니다. 저는 하룻밤이 아니라 백년의 밤을 보낸 기분이었습니다. 오랜 생각 끝에 묘안이 하나 번쩍 떠올랐습니다. 그것을 더할 나위 없는 명안이라며 오늘까지 실행해온 것입니다.

바로 시체를 어딘가에 숨겨두고 1, 2년 살다가 소문이 잠잠해질 때 즈음 자살하는 것입니다.

저는 4, 5년 전부터 한 신탁회사의 지하실 보호금고를 빌리고 있습니다. 한 면의 길이가 1.8미터인 정사각형 금고는 본인과 회사가 각각 가지고 있는 열쇠로 동시에 열어야 열리게끔 아주 엄중히 관리되고 있습니다. 저는 레이코의 시체를 트렁크에 넣어 그 금고 깊숙이 숨겼습니다. 그리고 2년치를 선불로 지급하고 요양한다는 명목으로 해외여행을 떠났습니다.

신탁회사는 저를 신뢰하고 있었고 오래 보관하는 건 회사 측도 득이기 때문에 의심받는 일은 없었습니다. 게다가 제가 신경쇠약에 걸린 지 꽤 오래되었기 때문에 외국에 가서 마음을 다잡고 온다고 하니 친척들은 대찬성이라며 기뻐했습니다. 그렇게 수월할 수가 없었습니다.

저는 프랑스, 영국을 유랑했지만, 언제나 불안이 들러붙어 있어서 정말 산송장이나 다름없었습니다. 아무런 흥미도 없이 그저 시간이 흐르기만을 기다리는 괴로움. 스스로 선택한 일이라지만 제 자신이 너무 바보 같습니다. 어쩐지 아내를 떠올리면 뒤이어 레이코가 반드시 떠올라서 또다시 괴롭습니다.

아름다운 기억으로 남아 있던 아내조차 이제는 감히 추억할 수 없게 된 저를 가엾게 여겨주세요. 한때의 감정이라고 하지만 헛소리 같은 말에 흥분해서 살인까지 저지른 저의 아둔함을 생각하면 수치와 후회로 온몸에 식은땀이 납니다.

저의 밤낮은 번민의 연속입니다. 아, 진심으로 웃고, 진심으로 말할 수 있는 행복은 얼마나 고귀한 것일까요.

자살, 이제 저를 구할 길은 그것뿐이라고 생각합니다. 더는 사는 게 힘듭니다.

요즘은 죽음에서 한 줄기 빛을 봅니다. 더는 마음의 가책을 견디며 살지 못하겠습니다. 스스로를 괴롭히는 제 자신이 너무 불쌍합니다. 당신에게만 털어놓는 이 거짓 없는 고백을, 당신이 어떻게 처리하든 그것은 당신의 자유입니다. 다만 딸아이의 행복을 지켜주기 위해 괴로운 2년을 겨우겨우 버티고, 당신이 보았듯 온몸의 기력이 소진되어 산송장처럼 살아온 저를 동정한다면 딸아이의 행복을 깨뜨리는 일은 결코 하지 않을 거라고 믿어 의심치 않습니다.

4

나는 다 읽은 편지를 S부인에게 돌려주었다. 그녀는 소품함에 그것을 넣으며 말했다.

“나중에 가쓰다 부인의 사진을 봤는데, 저는 물론이고 고미야마 레이코와도 전혀 닮지 않았어요. 전부 가쓰다 씨의 착각이었지요. 그는 자신이 상대하는 여성이면 전부 부인과 닮았다고 생각한 것 같아요. 그러나 이 편지에 적힌 게 사실이라면 일본 경찰에 알릴 수밖에 없습니다. 그렇게 남편에게 상담했더니, ‘정신병자가 쓴 소설이잖아’ 하고 웃어버리더군요. 그래서 그대로 두었습니다.

그런데 한 달쯤 지나 일본에서 도착한 신문을 보니 ‘모 신탁회사의 보호금고 안에서 미라가 나오다’라는 제목으로 가쓰다 가문이 빌린 금고 안에 있던 트렁크에서 미라가 나왔다는 내용의 기사가 실려 있었습니다. 얼마 안 있어 그 미라는 가쓰다 부인이었다는 보도가 나왔지요. 저와 남편은 얼굴을 마주하고 쓴웃음을 지었습니다."

(1934년 11월)

나쓰메 소세키의 제자가 탐정소설을!

오쿠라 데루코는 여류 탐정소설가로 일본 최초로 단행본을 낸 작가이지만, 대중에게 잊혀져 오래도록 마이너 작가로 취급받았다. 1934년 「요물의 그림자」를 잡지에 발표한 후 다음 해 1월에 『춤추는 그림자』, 7월에 『살인 유선형』을 출간했다. '탐정소설계의 신성! 대망의 신여류 작가 등장!'이라는 문구로 화려하게 데뷔한 탐정소설가의 선구자다. 모리시타 우송(森下雨村), 나카무라 기치조(中村吉蔵), 오카모토 기도(岡本綺堂), 하세가와 신(長谷川伸), 에도가와 란포(江戸川乱歩), 기쿠치 간(菊池寛), 오시타 우다루(大下宇陀児), 고가 사부로(甲賀三郎), 호시노 다쓰오(保篠龍緒), 마키노 료조(牧野良三), 아사노 와사부로(浅野和三郎) 등 당대 탐정 및 괴담 분야의 쟁쟁한 작가들이 『춤추는 그림자』를 추천했다. 책에는 에도가와 란포 외 6명의 추천사가 실려 있는데 다음은 에도가와 란포의 추천사 중 일부다.

> "오쿠라 데루코의 처녀 단편집 『춤추는 그림자』에 실린 작품들은 논리적인 본격 탐정소설은 아니다. 작가는 주로 이상심리의 공포에 흥미가 집중된 듯 보인다. 죽음, 심령 현상, 남장 여자 등의 소재가 두드러진다. 정진을 계속하여 일본의 아가사 크리스티가 되는 날을 고대한다."

등장부터 주목을 받았고 74세의 나이로 영면하기 전까지 여러 편의 단편소설을 발표했지만 작가의 작품을 한 책에 정리한 것은 1935년에 출간된 두 권 이후로 없었다. 그러다가 2011년 논쇼샤 출판사에서 『오쿠라 데루코 탐정소설선』을 내면서 일본에서도 뒤늦게 대중에게 알려졌다. 그래도 마니아 사이에서는 인기가 있어서 1935년에 출간한 단행본이 중고시장에서 10만 엔 전후로 거래되지만 그나마도 구하기 힘들 정도라고 한다.

오쿠라 데루코는 프랑스어에 능통했다고 한다. 저널

리스트 아베 다카시의 지적에 의하면 「춤추는 그림자」는 모파상의 「경련(Le Tic)」을 탐정소설로 개작한 것이라고 한다. 알렉상드르 뒤마의 「홍루의 기사(Le Chevalier de La Maison Rouge)」를 비롯해 몇 권의 프랑스 소설을 일본어로 번역한 것으로 오쿠라 데루코가 프랑스어에 능통했음을 알 수 있다. 기무라 다케시와 공동 번역했다고 나와 있지만 기무라는 보조 역할이었다고 한다.

『춤추는 그림자』를 추천한 사람 중 아사노 와사부로는 영문학자이자 심령연구가인데, 오쿠라 데루코는 심령학에 관심이 많았다고 한다. 「사라진 영매」와 같이 심령을 다룬 작품으로 이를 알 수 있다.

오쿠라 데루코는 외교관 남편을 따라 해외에 체류하면서 탐정소설에 눈길을 돌리게 되었고 탐정소설 작가로 방향을 전환했다. 대체로 기이한 현상을 소재로 한 작품이지만 관찰이나 추리를 도입해 풀어나가는 작품도 있다.

오쿠라 데루코는 짧은 이야기 속에 범죄자로 전락해 가는 등장인물의 운명을 간결하고도 여운 있게 그려낸다. 정신병이나 심령 요소를 도입해 속임수로 활용하거나 분위기를 고조하는 장치로 소설에 녹여내는 점도 주목할 만하다. 권선징악의 통쾌함이나 놀랄 만한 트릭이 있는 것은 아니지만 읽고 나면 등장인물의 인생을 깊이 들여다본 듯한 기분이 든다. 잔혹한 이야기를 쓰면서도 때때로 문장에 품격이 느껴지는 것은 후타바테이 시메이와 나쓰메 소세키에게 사사했던 덕분이리라.

그렇다 하더라도 나쓰메 소세키의 제자가 탐정소설 작가라는 것은 아이러니하다. 나쓰메 소세키는 탐정을 몹시 싫어했다. 『나는 고양이로소이다』에서 그는 “무릇 세상에 무엇이 천한 가업이냐고 묻는다면, 탐정과 고리대금업만큼 하등한 직업은 없다고 생각한다”라고 했다. 그런 나쓰메 소세키의 제자이면서도 오쿠라 데루코는 탐정소설 작가로 살았다. 스승의 탐정 기피가 오히려 오쿠라 데루코의 호기심을 자극했는지는 알 수 없다. 만약 오쿠라 데루코의 작품 속 인물처럼 심령술사를 통해 나쓰메 소세키의 말을 들어본다면, 제자가 선택한 진로에 쓴소리할지도 모르겠다.

| 작가 연보 |

1886년 4월 12일 도쿄에서 태어났다. 본명은 모즈메 요시코.

1909년 『후타바테이시메이』에 「후타바테이 선생」을 게재하며 데뷔했다.

1910년 문학잡지에 「내가 본 고베 부인」, 「생가」, 「어머니」를 발표했다. 사와야나기 마사타로 부부의 주선으로 결혼했다.

1912년 「어머니의 죽음」을 이와타 유미라는 필명으로 발표했다. 「본가」를 이와타 유리코라는 필명으로 발표했다. 외교관 남편과 함께 유럽에 체류하면서 아서 코넌 도일의 작품을 접했다.

1924년 이혼하고 나가우타의 스승이 되었다.

1934년 「요물의 그림자」, 「사라진 영매」를 발표했다.

1935년 단편소설집 『춤추는 그림자』, 장편소설 『살인 유선형』을 발표하면서 일본 최초로 단행본을 출간한 여류 탐정소설가로 주목받았다.

1938년 「심야의 손님」을 잡지에 발표했다.

1945년 전쟁이 끝나고 활발한 작품 활동을 했다.

1947년 「영혼의 천식」, 「고양이와 개」, 「이웃집 미망인」 등 17편의 단편소설을 잡지에 발표했다.

1948년 「일본 동백꽃 아가씨」, 「수치스러운 요부」, 「돈이 자라는 나무」 등 17편의 단편소설을 잡지에 발표했다.

1949년 「마성의 여자」, 「한순간의 공포」, 「그날 밤의 남편」 등 36편의 단편소설을 잡지에 발표했다.

1950년 「공포의 스파이」, 「그녀의 비밀」, 「8년의 수수께끼」 등 20편의 단편소설을 잡지에 발표했다.

1951년 「천사와 악마」, 「경륜도박에 운을 거는 여자」 등 10편의 단편소설을 잡지에 발표했다.

1953년 「이상한 손님」, 「미녀와 귀」 등 10편의 단편소설을 잡지에 발표했다.

1960년 74세의 나이에 뇌혈전으로 사망했다.